Chère lectrice,

A cinquante-cinq ans, l'armateur Abraham Danforth est un homme riche, puissant, respecté. Après une brillante carrière dans la Marine, il est revenu à Savannah pour reprendre les rênes de Danforth & Co, l'entreprise de transport maritime fondée par son grand-père.

Si la réussite professionnelle d'Abraham est indéniable, sa vie personnelle est moins heureuse. Après la mort de sa femme à l'âge de vingt-neuf ans, Abraham a envoyé ses cinq enfants en pension. Délaissés par leur père pendant leurs brefs séjours à Crofthaven Manor, la splendide propriété familiale, les quatre garçons et leur jeune sœur ont trouvé l'affection qui leur manquait auprès de leur oncle Harold.

En janvier 2004, Abraham se présente aux élections sénatoriales et entend réunir sa famille autour de lui…

Résumé des volumes précédents…

*Chargé d'installer la permanence électorale de son père, Reid Danforth a fait la connaissance de sa jolie voisine, Tina Alexander (*La liaison secrète*). Leur liaison passionnée est restée secrète, le temps que leurs parents respectifs comprennent que leur amour n'était pas qu'un feu de paille.*

Sa sœur Kimberly a dû héberger Zack Sheridan, chargé de la protéger lorsqu'Abraham Danforth a reçu des lettres de menace. Après une cohabitation difficile, Les étincelles de la passion *ont fini par crépiter entre eux.*

Jacob Danforth, le cousin de Reid et de Kimberly, a eu, lui, l'immense surprise de découvrir qu'il était papa d'un petit Peter de trois ans ! Un secret bien caché *par Larissa, la mère de Peter. Mais tout s'est fini par un mariage !*

Wesley Brooks, un ami de la famille, était loin de penser au mariage lorsqu'il a surpris Jasmine Carmody, une jeune jo[…]te, dans sa propriété ! Pourtant, […] [...]avannah *dont a parlé la press[…]*

*Ian, le fils aîné d'Abraham, a la lourde charge de diriger l'entreprise familiale. Heureusement, la jeune et jolie Katherine Fortune est arrivée à point nommé pour diriger son bureau, sa vie et… son cœur ! Et toute la famille a applaudi l'arrivée d'*Une héritière chez les Danforth.

Il a fallu une Rencontre passionnée *avec le séduisant Raf Shakir pour qu'Imogene Danforth oublie qu'elle n'était venue chez lui que pour apprendre l'équitation !*

Dans son ranch du Wyoming, loin de l'agitation soulevée par la candidature de son oncle, Tobias Danforth a reçu L'amour en héritage *lorsqu'il a engagé Heather Burroughs pour s'occuper de Dylan, son fils de trois ans.*

Scandale chez les Danforth *: la famille doit faire face à l'arrivée de Lea Nguyen, l'enfant illégitime qu'Abraham a eu pendant la guerre du Viêt-nam. Grâce à Michael Whittaker, le garde du corps d'Abraham, Lea va trouver l'amour et sa place au sein du clan.*

Adam Danforth et Selene Van Gelder, la fille du rival politique d'Abraham, n'auraient jamais dû se rencontrer, encore moins s'aimer, mais la passion a fait des miracles… et L'amour plus fort que tout *l'a emporté.*

En proie à un chantage odieux, Marcus, le fils cadet d'Abraham, a finalement pu compter sur le soutien et l'amour de Dana Aldrich venue enquêter contre lui…

Ce mois-ci :

A vingt-deux ans, Tanya Winters ne se souvient toujours pas de son passé. Ce qu'elle sait en revanche, c'est que David Taylor, le fils de l'homme qui lui a donné un toit et un travail sur sa plantation, est bien décidé à la mettre à la porte maintenant que son père est mort…

Le mois prochain*, ne manquez pas le dernier épisode ! Un événement incroyable va bouleverser la vie d'Abraham…*

La rèsponsable de collection

SHIRLEY ROGERS

C'est grâce au chat de sa voisine que Shirley Rogers a découvert les romans Harlequin ! Il y a plusieurs années, la propriétaire du félin en question partit en vacances en laissant le soin à Shirley de s'occuper de son animal. Pendant son absence, Shirley assura le cat-sitting tout en dévorant avec passion des Harlequin qu'elle avait dénichés chez sa voisine. A son retour, Shirley était décidée : elle allait se lancer dans l'écriture d'un roman sentimental. Et tout en s'occupant de ses enfants — un garçon et une fille — et de ses deux chats — Kiki et Buddy — elle se mit à écrire dès qu'elle avait un moment de libre. Le succès fut au rendez-vous : en décembre 1996, son « plus beau cadeau de Noël » fut son premier roman accepté par les éditions Harlequin. Depuis, elle en a publié six, ce qui lui laisse peu de temps pour son autre passion : parcourir le monde avec Roger, son mari depuis vingt-neuf ans !

Cet ouvrage a été publié en langue anglaise sous le titre :
TERMS OF SURRENDER

Traduction française de
SYLVETTE GUIRAUD

HARLEQUIN®
est une marque déposée du Groupe Harlequin
et Passion® est une marque déposée d'Harlequin S.A.

Originally published by SILHOUETTE BOOKS,
division of Harlequin Enterprises Ltd.
Toronto, Canada

83-85, boulevard Vincent-Auriol, 75013 PARIS — Tél. : 01 42 16 63 63
Service Lectrices — Tél. : 01 45 82 47 47
ISBN 2-280-08414-7 — ISSN 0993-443X

SHIRLEY ROGERS

Une vie pour s'aimer

Collection *Passion*

éditions Harlequin

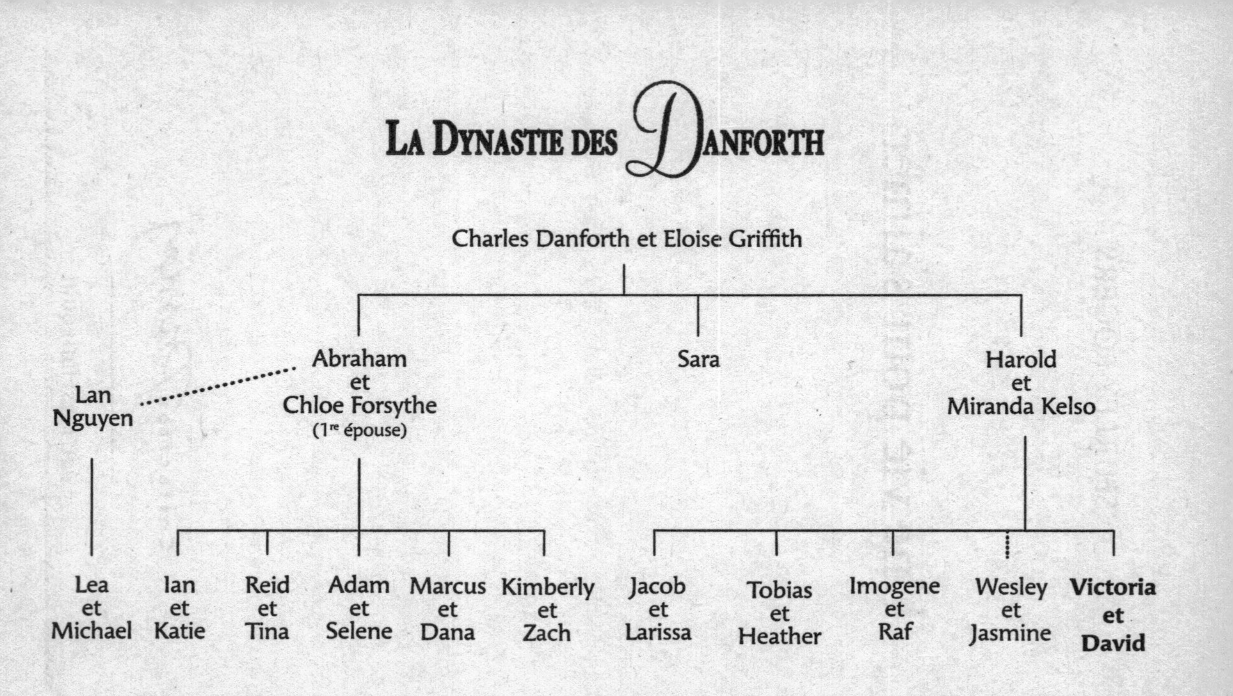
La Dynastie des Danforth
Charles Danforth et Eloise Griffith
Abraham et Chloe Forsythe (1re épouse)
Sara
Harold et Miranda Kelso
Lan Nguyen
Lea et Michael
Ian et Katie
Reid et Tina
Adam et Selene
Marcus et Dana
Kimberly et Zach
Jacob et Larissa
Tobias et Heather
Imogene et Raf
Wesley et Jasmine
Victoria et David

The Savannah Spectator

Indiscrétions

La fin des scandales... ?

Votre dévoué reporter qui écrit la rubrique que vous êtes en train de lire ne peut s'empêcher de se demander si le temps des vaches maigres n'est pas venu pour lui ! En effet, comme vous le savez, le résultat tant attendu des élections sénatoriales a montré que le candidat donné favori, et dont la famille fit les beaux jours de cette chronique, a gagné le droit de monter les marches du Capitole ! Autrement dit, l'homme d'affaires respecté de notre bonne ville de Savannah a réussi son pari : devenir sénateur envers et contre tout et… tous.

Dès lors, la question se pose : après tous les scandales, vrais ou faux, qui ont touché les différents membres de cette vieille famille de Savannah — et dont je vous ai soigneusement tenus informés — ce qui reste à votre serviteur à se mettre sous la plume risque de vous paraître bien maigre. D'autant plus que je vous ai gâté depuis le début de l'année ! Souvenez-vous des scoops que je vous ai fait partager... Entre autres, l'arrivée inopinée d'une magnifique jeune femme dans la belle demeure familiale et qui s'est révélée être une enfant illégitime, fruit des amours de notre candidat lors d'une mission, il y a vingt-sept ans au Viêt-nam… La seule chose que l'on pourrait souhaiter à cette famille recomposée, c'est de savoir ce qu'il est advenu de la jeune fille, nièce du nouveau sénateur, mystérieusement disparue il y a cinq ans alors qu'elle n'avait que dix-sept ans…

Je reste donc à l'affût et vous promets de vous tenir au courant… dans une prochaine chronique !

The Savannah Spectator

1.

— Promets-moi.

Avait-il bien entendu les mots chuchotés par son père mourant ? David Taylor s'agenouilla auprès du lit de chêne massif pour se rapprocher davantage.

— Te promettre quoi ? demanda-t-il doucement.

— Promets-moi que tu prendras soin de Tanya.

— Père, je…

Voilà bien la dernière chose à laquelle il s'était attendu de la part d'Edward Taylor ! Quoi ? Lui demander de veiller sur Tanya Winters ? Avec un profond soupir, il plongea le regard dans les yeux bleus si las. L'homme étendu devant lui ne ressemblait plus du tout au père qu'il avait connu toute sa vie, si strict, si exigeant. Désormais, il n'était plus qu'un fantôme de l'homme plein d'énergie que voyaient autrefois ses yeux d'enfant. A soixante ans, ses cheveux, bruns autrefois, étaient presque entièrement blancs. A la suite d'une rapide perte de poids, sa peau s'était ridée et avait pris une teinte terreuse. Le cancer l'avait terrassé avec une terrifiante rapidité.

— Promets-le-moi.

Edward fit un faible effort pour se redresser et agrippa le bras de son fils en cherchant son souffle.

— Je te le promets, se hâta de dire David. Repose-toi maintenant.

Il referma sa main sur celle d'Edward et l'aida à se rallonger. La douleur que reflétaient les yeux du vieil homme le fit frémir. Il songea à Tanya Winters. Depuis son arrivée à la plantation, il avait à peine entrevu l'employée de son père. Ces quelques minutes avaient pourtant suffi à raviver de vieux souvenirs indésirables comme la conscience aiguë de sa présence, aussi profondément ancrée aujourd'hui en lui que cinq années auparavant. Enfin, il aurait le temps, un peu plus tard, de régler tout ceci avec Tanya. Pour l'instant, seul comptait son père.

Il contempla le corps mince, les yeux clos, et un nœud se forma dans sa gorge. Il n'arrivait toujours pas à le croire. Il avait failli ne pas revenir à temps. Mason Brewer, le médecin personnel de son père, qui se tenait à quelques pas de lui, l'avait informé qu'Edward ne passerait sans doute pas la journée.

— Nous ferions mieux d'appeler Tanya, dit alors le Dr Brewer d'une voix calme.

David hocha la tête et se leva. Il n'avait passé qu'une trentaine de minutes auprès de son père. Et ils n'auraient jamais plus l'occasion de remettre de l'ordre dans leurs relations. David avait dix ans à la mort de sa mère et, après la disparition de son épouse, Edward n'avait plus jamais été le même. Enfant, David avait tout tenté pour plaire à son père. Adolescent, il avait abandonné, car rien de ce qu'il disait ou faisait ne paraissait combler le fossé qui s'était creusé. Après avoir obtenu ses diplômes, il était parti, bien décidé à ne plus rien demander à son père.

Il avait quitté Cottonwood, la plantation familiale, tout près de Cotton Creek, une petite ville rurale à une heure de Savannah, et avait fait son chemin tout seul dans la vie. La Taylor Corporation, sa société d'acquisitions et fusions basée à Atlanta, avait fait de lui un homme riche et influent. Mais cela n'avait apparemment pas suffi à lui obtenir l'approbation de son père.

Il soupira. De toute façon, il était trop tard pour revenir en arrière.

La porte s'ouvrit soudain et Tanya Winters entra. David la suivit du regard tandis qu'elle traversait la chambre d'une démarche fluide et gracieuse. A dix-sept ans, elle était jolie. Aujourd'hui, devenue une femme, elle était splendide. Ses cheveux d'un blond ambré retenus en queue-de-cheval laissaient à nu la peau veloutée de sa nuque. Ses yeux, rouges et gonflés d'avoir pleuré, étaient emplis de tristesse. Elle s'assit sur une chaise près du chevet du malade.

— Je suis là, Edward, chuchota-t-elle d'une voix tremblante.

Elle lui parla à l'oreille et David put voir les yeux du vieil homme s'éclairer un instant. Un faible sourire se dessina sur ses lèvres desséchées. David en conçut de la jalousie et du ressentiment. Lorsqu'elle l'avait accueilli ce matin, il avait aussitôt compris qu'il tenait toujours à elle. Mais sa façon froide de le considérer lui avait montré qu'elle ne lui avait pas, à l'évidence, pardonné le geste impulsif de son dernier jour à Cottonwood où il l'avait attirée dans ses bras et embrassée avant de franchir la porte.

Il se rappelait le jour où elle était venue vivre à la plantation, grâce à un programme d'aide à la jeunesse défavorisée. Edward avait tout de suite éprouvé de l'affection pour la très jeune fille et leurs relations s'étaient approfondies au point de former un lien plus fort que celui de David avec son père. Aujourd'hui, alors que David avait l'impression d'être un nouveau venu dans la maison familiale, Tanya semblait s'y déplacer avec aisance, comme si elle avait plus de droits que lui de s'y trouver.

David entendit un râle bref et se retourna vers le lit. Le Dr Brewer sortit son stéthoscope. Tanya se releva. D'un geste naturel, comme s'il n'avait pas été absent depuis des années, David se dirigea vers elle et lui enlaça les épaules. Les yeux de David croisèrent ceux du Dr Brewer qui, calmement, lui confirmèrent le pire.

Son père s'en était allé.

Avec un gémissement, Tanya enfouit la tête contre son épaule. Le cœur lourd, David fit un signe de tête au médecin. Mais lorsqu'il voulut entraîner Tanya hors de la pièce, la jeune femme se raidit et tenta de se libérer.

— Tu ne peux plus rien faire pour lui, dit-il avec douceur. Viens.

Tanya éclata en sanglots, et se laissa emmener par David hors de la chambre jusqu'au salon.

Le seul être sur terre qu'elle ait aimé venait de disparaître. Des larmes sillonnèrent ses joues et elle s'accrocha à David, à la recherche d'un peu de force. Il la serra étroitement contre lui pour l'empêcher de trébucher et lui murmura que tout irait bien.

Elle aurait tant voulu le croire. Mais c'était impossible. L'homme qui lui avait donné sa chance quand personne ne voulait d'elle était parti.

Sa vie, avant de s'installer à la plantation, restait un mystère pour elle. Elle ne se rappelait toujours pas pourquoi, à dix-sept ans, on l'avait découverte inconsciente sur une route de campagne, avec un traumatisme crânien qui l'avait laissée amnésique. Tout ce qu'elle savait, c'était ce qu'on lui avait raconté à l'hôpital. Elle s'appelait Tanya Winters, une gosse des rues, sans aucune famille pour la réclamer. Edward Taylor avait entendu parler d'elle et lui avait offert l'occasion de travailler sur sa plantation.

Il lui avait tant appris ! Elle avait travaillé côte à côte avec lui, se nourrissant de ses connaissances et de son attention. Maintenant qu'Edward était mort, David la laisserait-il vivre ici et continuer à s'occuper de Cottonwood ?

Se rendant compte qu'elle se trouvait toujours entre ses bras, elle leva la tête et croisa son regard.

— Excuse-moi, dit-elle en se dégageant de son étreinte.

Elle se dirigea vers l'une des longues et étroites fenêtres du salon et s'y arrêta, tournant le dos à David.

— Que s'est-il passé ? demanda-t-elle. Pourquoi t'a-t-il fallu si longtemps pour te décider à revenir ?

— J'étais absent lorsque tu as appelé, répondit-il. Je suis venu ici aussitôt que cela m'a été possible.

Elle se retourna pour le toiser. Son regard était dur.

— Il y a des *mois* que ton père est gravement malade.

— Quoi ?

Tanya étudia l'expression stupéfaite de David. A l'évidence, il ne jouait pas la comédie.

— Tu ne le savais pas ?

— Je n'en avais aucune idée.

— Mais il m'avait dit t'avoir téléphoné, insista-t-elle. Je lui ai demandé maintes fois d'essayer de se réconcilier avec toi. Car, lorsque tu es parti, tu lui as brisé le cœur.

Tanya saisit sur une table proche une photo de David le jour de la remise de son diplôme.

— Certains jours, il s'asseyait dans cette pièce et regardait cette photo. Je sais qu'il passait rarement une semaine sans qu'il parle de toi d'une manière ou d'une autre.

Elle remit la photo en place et se retourna vers lui.

— Il aurait gelé en enfer avant de me demander mon aide ! répliqua David en enfouissant ses mains au fond de ses poches. Nous avons parlé brièvement il y a environ deux mois, mais il ne m'a jamais dit qu'il était malade. Depuis, je n'ai plus eu de nouvelles de lui.

David n'était pas surpris du mutisme de son père. Jusqu'au bout, leurs relations étaient restées tendues.

Tanya exhala un soupir et hocha la tête.

— Il m'avait dit qu'il t'avait appelé, sans préciser votre sujet de votre conversation. Je supposais qu'il t'avait parlé de sa santé déclinante. Je lui ai même demandé si tu allais revenir ici et il m'a répondu non.

Elle soutint son regard.

— J'en ai déduit que tu ne te souciais pas de lui.

— J'ignorais tout à fait qu'il était malade, réaffirma-t-il. J'en ai eu vent pour la première fois quand j'ai reçu ton message, il y a deux jours. Si je l'avais su, je serais revenu bien plus tôt.

— Vraiment ?

Tanya avait envie de le croire, de se persuader qu'il n'était pas l'être lâche et égoïste qu'elle soupçonnait. Mais son absence des cinq dernières années affirmait le contraire. S'il avait eu la moindre considération pour son père, il aurait essayé de le comprendre avec davantage de détermination.

David préféra ne pas répondre à la question qu'il jugeait indiscrète. Après tout, que connaissait Tanya des relations avec son père ? Il décida de changer de sujet.

— Je pense qu'il va falloir s'occuper des détails des obsèques..., commença-t-il.

Des larmes emplirent de nouveau les yeux de la jeune femme et ruisselèrent le long de ses joues. Elle les chassa d'un revers de main.

— Non. Edward en avait déjà parlé avec son notaire et tout a été réglé. J'avais insisté pour l'aider, mais il m'a dit que j'avais assez à faire en dirigeant la plantation.

— Diriger la plantation ? s'exclama David en la dévisageant d'un air incrédule. C'est *toi* la directrice ? Tu es bien trop jeune et inexpérimentée pour gérer cette plantation !

Tanya redressa le menton.

— Trop jeune ? répéta-t-elle, d'un air outré. A ton avis, qui s'est occupé de tout depuis que ton père est tombé malade ?

— Tu as sans doute fait de ton mieux ces deux derniers mois, j'en suis certain, mais il y a une différence entre s'occuper des affaires courantes et gérer...

— En fait, le coupa-t-elle, j'ai la charge de la ferme depuis un certain temps, avant même que ton père n'apprenne sa terrible maladie. Outre le travail courant, j'ai informatisé la comptabilité et toutes les tâches administratives. Je m'occupe aussi de la maison et je supervise le personnel.

— Tu as vraiment fait comme chez toi, n'est-ce pas ?

La voix de David était calme, mais teintée d'une nuance accusatrice. Si le vieil homme avait remis la plantation entière entre les mains de Tanya, c'est parce que sa maladie avait dû amoindrir ses facultés intellectuelles. A moins que la jeune femme n'ait manipulé son père pour hériter de lui. Elle avait eu tout le temps voulu pour arriver à ses fins…

Tanya eut l'impression d'avoir reçu une gifle.

— Faire comme chez moi ? Que veux-tu dire ? demanda-t-elle.

La jalousie aveugla David. Il crut avoir deviné les relations exactes que la jeune femme avait dû entretenir avec son père. Il se souvint de l'effet qu'elle avait produit sur lui lorsqu'il l'avait embrassée. Et aussi combien il avait été dur de la quitter sans un regard en arrière.

— Quels autres services as-tu rendus à mon père ? lança-t-il.

— Je considère tes paroles comme une insulte pour moi et une offense à la mémoire de ton père, dit Tanya d'une voix sifflante. Edward…

Elle s'interrompit un instant, tellement l'indignation avait noué sa gorge.

— Ton père a été très bon pour moi. Il m'a offert un foyer et un travail. Tes insinuations sont indignes !

— J'ai perdu la tête. Excuse-moi. Ecoute, je n'avais pas l'intention de me disputer avec toi, répondit-il d'une voix apaisante. Je te crois si tu me dis que tu as dirigé les choses de ton mieux.

— Je l'ai fait parce que j'aimais ton père.

— Il t'était aussi très attaché, dit-il, l'air pensif. Ses derniers mots ont été pour toi.

— Ah oui ? Qu'a-t-il dit ?

La surprise et l'émotion élargirent ses yeux si expressifs.

— Il m'a fait promettre de m'occuper de toi.

— Quoi ?

Stupéfaite, elle le fixa. David prendre soin d'elle ? Quelle ironie !

— Je lui ai promis.

Il hésita avant de poursuivre. A l'évidence, Tanya avait un contrôle sur la plantation bien plus important qu'il ne l'avait imaginé. Il allait être d'autant plus dur de l'informer qu'elle avait perdu son travail.

— Je ne voudrais pas que tu t'imagines que je vais te laisser partir sans rien. J'ai pensé que, puisque tu n'en avais jamais eu l'occasion, ce serait une bonne idée que tu fasses des études. Je m'engage à financer toutes tes dépenses universitaires.

Les yeux de Tanya se mirent à lancer des éclairs.

— Je n'arrive pas à le croire ! Ton père n'est pas encore enterré et tu me jettes déjà dehors ?

David secoua la tête.

— Je ne te jette pas...

— Tu n'as pas de cœur. Je sais maintenant pourquoi ton père et toi ne vous êtes jamais entendus.

Une ombre de tristesse passa dans le regard de David.

— Tu ne sais rien de moi.

— Et toi, que sais-tu de cette plantation ? Que connais-tu, par exemple, de la culture du soja ?

— La culture du soja ?

— Oui. Savais-tu qu'il y a plusieurs années que ton père avait choisi de remplacer les arachides par le soja ?

En fait c'était elle qui avait convaincu Edward de changer son fusil d'épaule et d'abandonner la culture traditionnelle de Cottonwood pour celle du soja et du coton. Depuis, la ferme engrangeait des profits comme elle n'en avait pas connus depuis des années.

Oh, Dieu, qu'allait-elle faire sans Edward, maintenant ? Elle adorait cette maison et cette terre, et les gens qui travaillaient ici. Elle aimait la petite ville tranquille de Cotton Creek où chacun l'acceptait telle qu'elle était. Peu leur importait ses origines plus que modestes.

Elle émit un petit rire plein d'amertume.

— Tu l'ignorais ? Evidemment ! Parce que tu ne t'es jamais intéressé suffisamment à cette plantation pour te tenir au courant des changements. J'en sais beaucoup plus que toi.

Même si David aurait détesté avoir à le reconnaître à haute voix, elle avait raison. Il n'avait jamais remis les pieds à Cottonwood depuis l'été de son diplôme. Il n'avait gardé avec son père qu'un contact téléphonique épisodique.

— Pour le moment, tu as besoin de moi, insista Tanya.

— Très bien, répondit-il, énervé. Faisons un essai. Tu peux rester ici pendant trois mois. Si tu n'as pas fait tes preuves d'ici là, tu quitteras Cottonwood. Et je te paierai tes études, comme promis.

— Crois-moi, je saurai m'en souvenir, dit-elle d'un ton ironique.

Elle marcha en direction de la porte.

— Nous n'en avons pas terminé, objecta-t-il.

— Si. Je pense avoir appris aujourd'hui tout ce que je voulais savoir de toi.

— Tanya ! la rappela David.

La jeune femme sortit en trombe et claqua la porte derrière elle.

Quel toupet !

David frappa du poing le guéridon qui se trouvait près de lui. Puis il alla se verser un verre de bourbon. Il considéra un instant le liquide ambré avant de l'avaler et d'en savourer la brûlure au fond de sa gorge.

Peut-être était-il vraiment un salaud ? Pourtant, il n'avait pas voulu lui suggérer qu'elle quitte tout de suite Cottonwood. Chose étrange, une part de lui-même désirait la voir rester. Seulement, dans ce cas, il ne résisterait pas à l'embrasser de nouveau… et bien plus.

Pour le bien de son cœur, il ne fallait pas que cela arrive.

Un frisson glacé s'empara de Tanya qui n'avait rien à voir avec la température de cette matinée de novembre. Du coin de l'œil, elle observait David assis à l'autre bout de la pièce. Le notaire était installé derrière le grand bureau ancien qui avait été celui d'Edward Taylor. Comme il lui manquait ! Des larmes montèrent aux yeux de Tanya à la pensée qu'elle n'allait plus jamais le revoir. Une fois de plus, elle se retrouvait seule au monde.

Le notaire leva les yeux des documents qu'il tenait entre ses mains.

— David, votre père a demandé votre présence à tous les deux parce que les termes du testament vous concernent également.

Mal à l'aise, Tanya jeta un coup d'œil à David qui regardait devant lui.

— En votre qualité de fils unique, poursuivit le notaire, vous héritez du domaine. Votre père estimait que, malgré vos différends, Cottonwood vous revenait de droit.

David hocha la tête. S'il fut surpris ou satisfait, il n'en laissa rien paraître.

— Mais pour pouvoir hériter du domaine, vous devrez y vivre.

— Quoi ? s'exclama David.

Le notaire leva une main pour lui signifier qu'il n'avait pas fini.

— Il y a une autre clause. Selon les dernières volontés de votre père, Mlle Winters continuera à assurer la direction de Cottonwood le temps qu'elle le désirera...

2.

— C'est complètement ridicule !

David posa ses mains à plat sur le bureau de son père, face à Clifford Danson. Il n'en croyait pas ses oreilles.

— J'ai une affaire à faire marcher à Atlanta. Ma vie est là-bas. Je ne peux pas vivre ici !

Le notaire secoua la tête et ses lunettes glissèrent au bout de son nez. Son regard disait qu'il comprenait la situation mais qu'il n'y avait pas d'autre solution.

— Je suis désolé, dit-il d'un ton d'excuse, comme si les choses étaient de son fait. Les termes du testament sont précis. Si vous voulez recevoir votre héritage, vous devrez vivre ici. Ce n'est pas négociable.

David se redressa. Son regard fit le tour de la pièce avant de revenir se poser sur le notaire.

— Combien de temps ?

— Une année pleine et entière.

— Une année ? répéta-t-il avec mépris. Et si je n'approuve pas ces clauses ridicules ?

— Vous perdrez tout.

Un silence assourdissant s'abattit sur la pièce. L'attention de David se tourna vers Tanya. Elle avait les yeux écarquillés et ses lèvres avaient pâli. La lecture du testament l'avait aussi stupéfiée que lui. « En es-tu sûr ? » lui souffla son esprit. Tanya n'aurait-elle pas manipulé son père, attendu qu'il se mette en retrait de manière à tirer parti de sa maladie ? Il ne la connaissait pas vraiment, après tout. Etait-elle capable d'une telle duperie ? Lorsqu'il l'avait accusée à propos de ses relations avec son père, elle avait nié avec la plus grande force toute intimité entre eux. Cela ne signifiait pas qu'elle n'était pas intéressée par son argent. Plus déterminé que jamais à découvrir si la jeune femme avait mal agi, il se retourna vers l'homme de loi.

— Et si je n'accepte pas, que deviendra Cottonwood ?

Danson s'éclaircit la gorge. Il saisit le testament et s'éclaircit la gorge.

— Selon les termes du testament, répondit-il, le sus-mentionné…

— Passez-nous le jargon et arrivez-en au fait, s'exclama David.

— Très bien, dit le notaire en laissant tomber les papiers sur le bureau. Au cas où vous n'accepteriez pas de vous établir à Cottonwood de façon permanente pendant un an, Mlle Winters hériterait de la totalité du domaine.

— Quoi ?

Tanya poussa une exclamation étouffée. L'air furieux, David pivota sur lui-même pour la regarder.

— Je n'avais pas la moindre idée qu'Edward ait pu faire ça, balbutia-t-elle.

David la considéra comme si elle était le diable en personne. Et pourquoi pas, après tout ? A quoi avait bien pu penser Edward en demandant à son notaire d'ajouter une clause aussi démente ?

— J'aime mon job et je désire seulement continuer à travailler ici, dit-elle. Mais la plantation t'appartient. Peu importe ce qui est écrit dans le testament.

— Si Tanya décidait de partir de son plein gré, reprit le notaire, alors vous auriez la libre et entière disposition de la totalité.

L'homme rassembla les pages du document et les enferma dans son attaché-case avant de faire le tour du bureau.

— Je vous laisse une copie du testament.

Il serra la main de David puis se tourna vers Tanya. Son expression s'était adoucie. Il lui prit la main et la retint un instant avant de la lâcher.

— Faites-moi savoir si je peux vous rendre service, Tanya. Edward a beaucoup insisté pour que vous ne vous fassiez aucun souci. Soyez aimable de me contacter lorsque vous aurez pris votre décision. Ne me raccompagnez pas, je connais le chemin.

Tanya le suivit du regard avant de se retourner vers David et de rencontrer ses yeux fixes et froids. Il lui était facile d'imaginer ce qu'il ressentait et, en dépit de son évident manque de confiance à son égard, son cœur s'élança vers lui.

Edward les avait mis tous deux dans de beaux draps !

— David, crois-moi, je te dis la vérité. Je n'avais pas la moindre idée des intentions de ton père.

— Vraiment ? dit-il d'un ton coupant.

Son regard acerbe fit passer un frisson glacial le long de l'échine de Tanya.

— Je te le jure, insista-t-elle.

Oh, comme tout cela faisait mal ! Elle n'arrivait pas à penser qu'il la croie capable de… Elle ne pouvait même pas aller au bout de sa pensée.

Son cœur battait à grands coups lorsqu'elle se leva. Trop tard, elle comprit qu'elle tremblait de tous ses membres et pouvait à peine tenir debout. Elle dut s'appuyer à la chaise avant de pouvoir lui faire face.

— Je crois bien que mon père a eu le dernier mot, comme d'habitude, n'est-ce pas ? commenta David.

Il secoua la tête. Il éprouvait une amère déception à constater qu'il n'avait fait la paix avec son père d'aucune manière. S'il acceptait les termes du testament, il serait lié à la plantation, incapable de regagner Atlanta.

— Je ne crois pas qu'Edward ait sciemment essayé de te blesser, répondit Tanya, sans vraiment comprendre son commentaire.

Il lui paraissait difficile de croire que l'homme qu'elle connaissait et aimait ait pu infliger à David toute la souffrance qu'elle lisait dans ses yeux.

— Tu ne sais pas de quoi tu parles.

Elle tâtonnait, à la recherche d'une explication.

— Certains jours, ses pensées n'étaient pas très claires. Peut-être était-il dans un de ces moments lorsqu'il a établi ces clauses.

— Si tel était le cas, Me Danson n'aurait jamais établi ce document.

Clifford Danson était le notaire d'Edward Taylor depuis des années et David savait qu'il n'aurait jamais rien commis de contraire à l'éthique, même pour un ami de longue date.

— Pourtant, ton père devait penser qu'il agissait au mieux de tes intérêts.

— A mon avis, c'était plutôt aux tiens qu'il songeait, rétorqua-t-il.

— Je sais que cela y ressemble, mais…

— Ça y ressemble ? En tout cas, tu auras un emploi jusqu'au moment où tu n'en voudras plus.

Avec ce testament, ses projets pour éloigner Tanya étaient tombés à l'eau ! Ce qui signifiait que sa libido allait vivre un enfer. Il ne voulait pas de sa présence, il ne voulait plus se souvenir de son attirance pour elle.

Tanya inclina la tête de côté et pointa le menton.

— Je ne vais pas prétendre que je ne suis pas soulagée d'avoir un job et un endroit pour vivre, admit-elle.

— Pourquoi est-ce que tout cela ne me surprend pas ? commenta David avec ironie.

Il soupçonnait maintenant que Tanya ne partirait jamais. Il n'avait qu'un choix : la garder pour diriger la plantation. Ce qui signifiait aussi qu'il devrait y rester. La ferme avait des employés, des gens qui dépendaient de leur emploi pour vivre. Il était désormais responsable de leur sécurité matérielle. Il ignorait comment Tanya avait géré les finances de la ferme et, tant qu'il n'en saurait rien, il n'était pas prêt à lui faire confiance.

Il se rapprocha d'elle, jusqu'à n'être qu'à quelques centimètres.

— Mais ne crois surtout pas une seule minute que je vais m'en aller d'ici et tout te laisser.

La plantation était *son* héritage, pas celui de Tanya. D'accord, il en avait été éloigné pendant des années, ce qui ne voulait pas dire qu'il n'y attachait pas d'importance. S'il était parti, c'était à cause de son père. L'ironie de la situation lui arracha une grimace. Son père était aussi la raison de son retour et de l'obligation qu'il avait de rester.

— Je ne m'y attends pas du tout, répondit Tanya d'un ton froid.

En dépit de ce qu'Edward avait écrit dans son testament, la plantation appartenait à David, pas à elle. Elle était reconnaissante de garder un toit au-dessus de sa tête, mais elle n'avait aucune raison de s'excuser de la relation proche qu'elle avait tissée avec le père de David.

— Vraiment ? dit-il, l'œil inquisiteur. Tu te sens prête à vivre ici avec moi ?

Tanya avala sa salive. Vivre à Cottonwood avec David ? A cette pensée, tous ses rêves de jeune fille lui revinrent à la mémoire. « Arrête ça, cria une voix en elle. Au contraire de toi, il a l'impression d'être piégé. Il ne désire pas vivre ici. Avec ou sans toi. »

— Oui, répondit-elle.

Jusqu'à quel point serait-il si dur de cohabiter, après tout ? La maison était vaste, immense, même. Ils dormiraient dans des chambres éloignées l'une de l'autre et, quand arriverait la saison des semailles, avec tout le travail à faire, ils ne partageraient peut-être même pas leurs repas. David ne serait pas là tout le temps. A un moment ou à un autre, il serait bien obligé d'aller s'occuper de sa société à Atlanta.

— Bon, alors la question est réglée, je crois, dit-il.

Au lieu de l'éviter, son regard se fixa sur le visage aux traits parfaits de Tanya, sur son cou mince et ravissant. Sa peau crémeuse semblait appeler le contact et tout ce dont il fut capable fut d'enfouir ses mains dans ses poches.

Si Tanya et lui vivaient ensemble à la plantation, comment ferait-il pour maîtrise son attirance pour elle ? Après la petite bombe jetée par le notaire, et alors même qu'il n'aurait dû ressentir qu'indignation et ressentiment, il restait sous le charme de la jeune femme.

Pourtant, son expérience avec Melanie lui avait enseigné la prudence avec les femmes. Il avait été humilié et pris pour un imbécile. Depuis, il avait gardé ses distances avec toute femme désireuse de partager avec lui plus d'une nuit ou deux de plaisir. Il n'était donc pas question de s'enticher de Tanya. Il utiliserait le temps passé à côté d'elle pour s'immuniser contre le charme qu'elle dégageait. Quand l'obligation que lui avait faite son père de vivre à la plantation serait arrivée à expiration, il retournerait vivre à Atlanta.

Dès lors, Tanya Winters n'aurait plus aucune importance pour lui.

Le lendemain matin, malgré la décision de David de jeter un coup d'œil sur les comptes de la plantation, un appel téléphonique l'en empêcha. Il venait de Justin West, son ami et vice-président de sa société, la Taylor Corporation, à propos de leur dernière acquisition. La maladie de son père avait obligé David à partir au cours de l'ultime négociation. Il avait donc chargé Justin, en qui il avait pleinement confiance, de le remplacer. Pourtant, il restait ce matin-là quelques questions-clé à résoudre qu'aucun des deux n'avait prévues et cela leur prit plus de temps que David ne l'avait escompté. Une fois le problème réglé, il appela Jessica, son assistante personnelle, de manière à pouvoir gérer une bonne part de ses affaires depuis la plantation.

Levant les yeux des dossiers qu'il venait de sortir de son attaché-case, il fit le tour de la pièce et s'arrêta sur les étagères remplies de livres qui recouvraient entièrement un mur. Il considéra les volumes rangés par catégories et par ordre alphabétique. Enfant, il n'avait pas eu le droit d'y toucher.

« Maintenant, ils t'appartiennent. »

Une fraction de seconde, son cœur se serra. Il se leva et traversa la pièce pour passer les titres en revue. Son regard s'arrêta sur un volume de poèmes qu'il prit entre ses mains. Il ignorait que son père avait aimé la poésie. La triste vérité était qu'il n'avait jamais vraiment connu son père.

« Mais ce n'était pas ta faute. » Peut-être que si, se dit David dans le silence tranquille du bureau. Tanya le pensait sûrement. S'il avait été le genre de fils souhaité par son père, il aurait ravalé son orgueil et serait resté à la plantation.

« En quoi cela aurait-il changé quoi que ce soit ? » C'était sans doute vrai, se dit-il avec tristesse. Du vivant de sa mère, ils avaient vécu comme une vraie famille. David pouvait encore se souvenir d'avoir joué au ballon avec son père. Quand Eloïse Taylor était morte, tout avait changé. David était devenu un détail à régler et non plus un fils à aimer. Il n'avait rien compris alors. Il ne comprenait toujours pas. Mais il s'était très vite rendu compte que son père n'avait aucun désir ni besoin de son affection. David remit le livre en place et regarda autour de lui. Non, s'il était resté, cela n'aurait fait aucune différence. Il aurait été étouffé par la forte volonté de son père et, à la fin, aucun des deux n'aurait été heureux. Edward ne l'aurait jamais laissé prendre une décision à propos de la ferme. A son retour de l'université, il avait fait une suggestion à son père concernant les équipements de la plantation. Edward n'en avait tenu aucun compte.

Soudain, David se rappela Tanya. Il jeta un coup d'œil à sa montre. Il était en retard à leur rendez-vous. Quittant le bureau, il se dirigea vers le bâtiment de stockage qu'elle lui avait désigné le matin au petit déjeuner. Quelques instants plus tard, il pénétra dans une des baraques en métal qui abritait l'outillage utilisé à la plantation.

— Désolé d'être en retard, s'excusa-t-il, mais j'ai été retenu par une conférence par téléphone.

Vêtue d'un jean et d'un pull pour se protéger de l'air frais du matin, elle semblait parfaitement à l'aise jusqu'au bout de ses bottes de travail usagées. Avec sa queue-de-cheval blonde bien tirée et son bloc-notes à la main, elle avait apparemment déjà commencé à travailler.

— Oh, ça va, dit-elle, j'avais pas mal de choses à faire en t'attendant.

Elle n'était pas vraiment surprise. Il y avait peu de chances pour que David considère les travaux de la plantation comme une priorité. Il était clair que les questions de sa société d'Atlanta prenaient le pas dans son existence. Cela l'arrangeait plutôt. Tout se passerait bien mieux entre eux s'il la laissait continuer à gérer la plantation sans intervenir.

David insista pour l'aider, car il ressentait un peu de honte de son retard. Son regard erra sur le corps de Tanya. Au cours des années, remarqua-t-il, sa silhouette s'était transformée. Elle était toujours aussi mince, mais ses seins étaient plus pleins et ses hanches avaient une jolie courbe. Son attention se reporta sur l'ovale parfait du visage, le petit nez impertinent et les yeux d'ambre. Les mouvements de son corps possédaient une grâce qui contredisait sa mise négligée. Qu'y avait-il chez cette femme, se demanda-t-il, qui faisait qu'au bout de cinq ans il ne parvenait pas à l'oublier ? Sans doute son père avait-il vu en elle quelque chose de spécial, sinon il n'aurait pas demandé à David de prendre soin d'elle.

— Mais je suis tout à toi, maintenant, dit-il.

Tout à toi ? Tanya avala sa salive avec difficulté. Elle regarda David. Avec son pantalon kaki et sa chemise bleu pâle qui avaient dû lui coûter plus qu'elle n'avait dépensé en vêtements durant toute l'année précédente, il était un très bel homme. Il ne restait pas grand-chose en lui du jeune homme à qui elle avait donné son cœur à dix-sept ans. Ces dernières années lui avaient été bénéfiques. Ses épaules et son torse s'étaient musclés. Son visage plus ciselé, aux angles nets, rappelait beaucoup plus son père qu'elle ne l'avait cru. Il y avait bien assez en lui pour faire tourner la tête d'une femme plutôt deux fois qu'une. Mais ses yeux d'un bleu intense retinrent son attention. Ils semblaient vides, pleins d'une tristesse qu'elle aurait aimé comprendre, à défaut de le consoler.

— Tanya ?

La jeune femme sursauta.

— Euh, oui. Laisse-moi t'emmener faire le tour, dit-elle, reprenant ses esprits.

Pendant cette visite, David écouta les commentaires de Tanya avec attention et il dut admettre qu'il était sérieusement impressionné par sa connaissance des activités de la plantation et de l'outillage utilisé pour son fonctionnement. De toute évidence, Tanya était sincère en affirmant qu'elle avait tout dirigé depuis un certain temps. Il n'en était pas moins toujours stupéfait de la décision d'Edward de changer de mode de culture.

— Pourquoi mon père a-t-il décidé d'arrêter les arachides ? demanda-t-il en examinant les machines agricoles.

Tanya se mordit la lèvre et lui lança un bref coup d'œil. La réponse n'allait pas arrondir les angles entre eux, mais elle se devait d'être honnête.

— Il y a quelques années, j'ai fait une recherche sur la production d'arachides dans l'Etat de Géorgie et aussi dans les autres Etats où elles constituent la principale culture. Les coûts de production étaient à la hausse et les profits de Cottonwood avaient commencé à baisser.

— C'est souvent comme ça en affaires, non ? observa Edward qui, voyant dans les yeux d'ambre une expression d'appréhension, s'en demanda la raison.

Tanya fronça les sourcils.

— C'est une explication un peu trop simple, dit-elle d'une voix tendue. Les revenus futurs s'annoncaient plutôt moroses. Des changements dans la réglementation de cette culture ont frappé de plein fouet les fermiers et de nombreux planteurs ont été obligés de faire des réajustements. Quant aux fermiers indépendants, ils ont baissé les bras.

— La plantation était-elle aussi menacée ? demanda David.

A l'évidence, songea-t-il, il s'était beaucoup trop éloigné des questions d'agriculture. Occupé par ses propres affaires, il n'avait pas accordé une seule pensée au marché de l'arachide !

— A mon avis, cela n'allait pas aussi mal que cela, mais la plantation n'aurait jamais pu faire autant de profit que par le passé. Ton père semblait préoccupé. C'est là que j'ai commencé à faire des recherches et pensé à nous lancer dans la culture du soja.

Elle fit un geste en direction de la porte.

— Veux-tu aller jeter un coup d'œil sur les comptes ?

David eut un hochement de tête négligent, mais au fond de lui, il souffrait. Son père n'aurait jamais accepté cette idée si elle était venue de lui. Il eut l'honnêteté d'admettre en son for intérieur que ce n'était pas la faute de Tanya si son père et lui ne s'étaient jamais bien entendus.

— Mais pourquoi du soja ? demanda-t-il en lui ouvrant la porte pour la laisser passer avant de lui emboîter le pas.

— La demande en soja a augmenté parce que les gens font maintenant beaucoup plus attention à leur santé. On l'utilise désormais dans beaucoup de produits alimentaires, même dans le chocolat.

— Tu plaisantes ?

Tanya sourit, mais son sourire n'atteignit pas ses yeux.

— Non. On l'utilise également dans de multiples produits non alimentaires, poursuivit-elle tandis qu'ils empruntaient le sentier vers la maison. Par exemple dans les rouges à lèvres, le plastique et les peintures. Il m'a semblé que c'était le bon moment pour faire passer la ferme sur un marché en expansion.

Comme David n'avait toujours pas examiné les comptes, il réserva une fois encore son jugement.

— Je dois admettre que je suis épaté de constater que tu aies pu convaincre mon père de procéder à une transformation aussi drastique, remarqua-t-il.

Ses yeux se posèrent sur le visage de Tanya, empreint d'une certaine tension. Il savait que la mort d'Edward avait été un moment difficile pour elle mais, en dehors du seul incident de la veille, elle n'avait pas partagé ses sentiments avec lui.

— Au commencement, admit-elle, un peu surprise de le voir s'intéresser à la ferme, Edward n'était pas très excité par cette idée. Nous en avons discuté pendant des mois. J'ai dû lui soumettre une masse de documentation avec des projections sur les profits. Ton père pouvait se montrer très têtu.

— A qui le dis-tu !

Ils atteignaient l'arrière de la maison. David ouvrit la porte et la suivit à l'intérieur.

— Après avoir obtenu mon diplôme, j'ai essayé de le persuader de faire quelques transformations à la ferme, d'utiliser de nouvelles techniques qui auraient accru sa production. Il n'a pas voulu m'écouter.

Après cela, David était resté convaincu que son père et lui ne pourraient jamais travailler ensemble.

Tanya reçut cette confidence comme une surprise, n'en avait jamais entendu parler auparavant. Edward ne lui avait pas soufflé mot de l'idée de David. Elle se demanda si David serait resté à Cottonwood si son père l'avait écouté.

Bien qu'il ait parlé sans émotion apparente, elle perçut de la tristesse au fond de ses yeux. Qu'il éprouve du ressentiment à son égard était compréhensible, songea-t-elle. Il fallait même s'y attendre et cela allait causer certainement des frictions s'ils devaient travailler de concert.

— Je me souviens de vous deux en train de vous disputer, reconnut-elle doucement en s'arrêtant au seuil du bureau. J'avais toujours espéré que les choses puissent s'arranger entre vous.

Elle leva les yeux et croisa son regard.

— Malgré l'éloignement, ton père se préoccupait de toi, tu sais.

David ne répondit pas et le découragement gagna Tanya. Si elle avait pu partager ses sentiments avec David, peut-être aurait-elle pu surmonter son propre chagrin... Mais après la lecture du testament, elle n'avait pas osé lui parler. Elle ne pouvait le blâmer de s'être mis en colère. Rien de ce qu'elle aurait pu lui dire n'aurait pu changer ce qu'il ressentait. Il lui en voulait et ne désirait pas être son ami. En dépit de son attirance pour lui, elle devait accepter le fait qu'il tolérait seulement sa présence. Elle aussi, du reste, avait quelques griefs à son encontre. Il y avait d'abord son accusation injustifiée d'être intime avec son père. Qu'il puisse penser à une chose pareille montrait à quel point il était devenu insensible.

Au moment de pénétrer à l'intérieur du bureau, Tanya poussa un profond soupir. Rien n'était plus pareil sans Edward. L'année qui s'annonçait promettait d'être épuisante, non seulement sur le plan physique, mais aussi sur le plan moral. Comment allait-elle pouvoir tout assumer ? Son pas se fit hésitant et des larmes emplirent ses yeux quand lui parvint l'odeur du tabac de la pipe d'Edward qui flottait dans l'air. Oh non, songea-t-elle. C'en était trop. Elle ne pourrait pas le supporter. Elle éprouvait un besoin désespéré de se retrouver seule. Au moins jusqu'à ce qu'elle puisse se reprendre...

La voyant vaciller, David vint à son aide et la prit par les épaules pour la soutenir.

— Tout va bien ? demanda-t-il, scrutant ses traits.

— Ça va très bien, dit-elle, malgré les larmes qui ruisselaient le long de ses joues.

Elle renifla, mais quand les larmes refusèrent de se tarir, elle en fut mortifiée.

— On ne le dirait pas, rétorqua David d'un ton bref, les yeux fixés sur le visage couleur de cendre. Qu'est-ce qui ne va pas ?

Il éprouvait une rude envie de la prendre contre lui et de l'étreindre, mais il n'était pas certain qu'elle désire la moindre marque d'attention de sa part.

Tanya secoua la tête. Comment aurait-elle pu lui dire à quel point Edward lui manquait ? David n'avait manifesté aucun signe de chagrin de la mort de son père. S'il souffrait si peu que ce soit, il ne lui en montrerait rien et il ne partagerait rien avec elle.

— Tanya, que se passe-t-il ? demanda-t-il d'une voix pressante, cherchant son regard.

— Ce n'est rien.

D'un geste désespéré, elle essuya ses larmes et s'efforça de refouler les autres. L'air sombre, David en écrasa une autre d'un pouce.

— Non, ce n'est pas rien.

A ce contact plein de tendresse, Tanya s'immobilisa. Au fond de son cœur, elle brûlait d'envie de se nicher contre lui, mais elle s'obligea à s'écarter de David.

— C'est… euh, à cause de l'odeur de la pipe de ton père quand je suis entrée. Cela m'a bouleversée.

Elle prit une profonde inspiration et recouvra un peu de sa maîtrise. David n'avait pas remarqué l'odeur et encore moins l'avait-il reliée à son père.

— Tu es toute tremblante, remarqua-t-il.

— Je vais bien maintenant. Vraiment.

— Tu en es sûre ?

Toute couleur avait disparu de son visage et elle donnait l'impression d'être sur le point de s'évanouir. Des cernes sombres cerclaient ses yeux.

— Pourquoi ne pas laisser les comptes jusqu'à demain ? suggéra David. Tu as l'air d'avoir besoin de faire un break.

— Je vais très bien, répéta-t-elle, sûre pourtant qu'il n'en était rien.

Si elle ne s'en allait pas d'ici tout de suite elle allait se mettre à sangloter et se donner en spectacle.

— Je sais qu'on ne devrait pas remettre cela à plus tard.

— Ça peut attendre.

Tanya hésita. Les derniers jours avaient été stressants et elle n'avait guère dormi. Son rêve récurrent devenait de plus en plus intense. Elle y entrevoyait un visage, celui d'une jeune fille, pensait-elle sans en être certaine. Outre cela, elle devait assumer son chagrin et se débrouiller avec David. Cela commençait à faire beaucoup. Mais elle ne se hasarderait pas à montrer sa faiblesse à David, lui qui l'estimait déjà incapable de diriger la plantation.

— Très bien. Que dirais-tu si je te laissais les consulter toi-même ? suggéra-t-elle, dans l'espoir de pouvoir s'échapper dans sa chambre pour essayer d'y reprendre ses esprits.

— Si tu veux, dit David en la scrutant.

Elle lui adressa un sourire poli et fit le tour du bureau. Après avoir tapoté quelques touches sur l'ordinateur, l'écran restitua le fichier recherché.

— Tout ce dossier concerne la plantation, dit-elle. Si tu as des questions à poser, tu n'as qu'à me faire appeler quand tu le voudras.

Elle traversa la pièce en direction de la porte et se retourna vers lui.

— Si tu as besoin de quelque chose, je serai dans ma chambre.

Puis, sans attendre de réponse, elle s'échappa vers la sécurité de sa chambre. A peine entrée, elle se jeta sur son lit et laissa couler ses larmes.

3.

David pénétra dans la salle à manger et s'installa devant la grande table de chêne, surpris de ne pas apercevoir Tanya. Il avait appris au moins une chose à son propos : elle était très ponctuelle. Il fit une grimace. Sans aucun doute, c'était le legs d'Eloïse, sa mère. Il se souvenait que, de son vivant, elle insistait toujours beaucoup pour qu'Edward et lui prennent leur repas à l'heure et, depuis sa mort, son père avait appliqué strictement la consigne. Etait-ce l'un de ses moyens de conserver vivant le souvenir de son épouse ?

David secoua la tête. Il était vain d'essayer d'analyser le caractère de son père. Du reste, malgré tout ses efforts, il lui était impossible de mettre en parallèle l'homme insensible qui l'avait élevé et le mourant qui l'avait imploré de prendre soin de Tanya. D'ailleurs, autant qu'il puisse en juger, la jeune femme était parfaitement capable de s'occuper d'elle-même.

Après avoir examiné les comptes de la plantation, David avait découvert qu'elle était méthodique, efficace et d'une honnêteté sans équivoque. Son idée de changer de culture avait été habile et mise en application à temps. L'investissement de base avait été élevé, mais les revenus au bout des deux premières années avaient couvert la dépense initiale et laissé un joli bénéfice. Depuis, les profits n'avaient cessé d'augmenter.

Il s'était trompé à son sujet, se reprocha-t-il une fois de plus. D'abord, il l'avait soupçonnée d'avoir une liaison avec son père. Comme si cela n'avait pas été suffisant, il l'avait accusée d'essayer de le voler. Il se serait battu, s'il l'avait pu. Quelles stupides allégations ! D'ailleurs, il n'y avait pas vraiment cru lui-même. Il était seulement frustré et lui en voulait du lien qu'elle avait tissé avec son père, un homme que lui-même connaissait à peine. En outre, il était férocement jaloux. N'empêche, il continuait à se demander si elle avait des vues sur Cottonwood... Quant à lui, pour être certain maintenant de conserver l'héritage de son père, il était obligé de s'incruster ici pendant des mois. Et à qui devait-il cela ? A un homme obstiné jusqu'à l'entêtement. Son père.

« Si tu avais mieux essayé de t'entendre avec lui, tu ne serais pas maintenant obligé de te battre pour Cottonwood. La plantation t'appartiendrait, sans partage. »

David secoua la tête. Il aurait été bien plus facile de se débarrasser de Cottonwood. Mais c'était impossible. Ici, subsistaient les souvenirs de sa mère et les seuls moments de bonheur de sa vie.

Au léger craquement de la porte, il leva les yeux. Il s'était attendu à voir Tanya entrer et il se prépara à ressentir cette sensation si familière qu'il éprouvait lorsqu'elle était là. Quand Ruth, la cuisinière de son père depuis des années, pénétra dans la salle à manger, il fut déçu, mais respira mieux.

La frêle silhouette de la cuisinière était en complète contradiction avec les nombreuses et succulentes pâtisseries qu'elle confectionnait. Malgré les quelques cheveux gris de son chignon et en dépit d'une ride ou deux autour de ses lèvres minces, elle avait très peu changé. Quand leurs regards se croisèrent, elle adressa à David un sourire réservé.

— David ! Il me semblait bien t'avoir entendu rentrer.

Elle s'approcha de la table et déposa devant lui un plat fumant de poulet et de légumes variés.

David haussa un sourcil.

— Tanya ne vient pas dîner ?

Ruth secoua la tête.

— Elle m'a appelée de sa chambre pour me dire qu'elle ne voulait pas descendre.

David se rembrunit. Lorsqu'ils s'étaient quittés un peu plus tôt, elle était tremblante et bouleversée. Depuis, il ne l'avait pas revue.

— Est-ce qu'elle va bien ?

— Y a-t-il une raison pour qu'elle n'aille pas bien ? rétorqua Ruth.

— Pas que je sache, répondit David en battant des paupières.

Il changea de sujet, décidé à chasser Tanya de son esprit.

— Ça sent bon, commenta-t-il, en humant l'odeur qui accompagnait le plat.

— J'espère que ça te plaira. Je me souviens que tu adorais ces pommes de terre.

— C'est toujours le cas, dit-il avec un grand sourire.

Ruth s'appuya au grand buffet et lui décocha un coup d'œil réprobateur.

— Tu aurais peut-être dû revenir à la maison une fois ou deux. Je t'aurais cuisiné tout ce que tu aurais voulu.

David croisa son regard et rougit un peu. Elle avait raison, bien entendu. Il aurait dû revenir de temps à autre et tenter de mieux s'entendre avec son père. Mais c'était tellement plus facile de rester au loin et de ne plus se soumettre à la confrontation et à la déception.

Il fallait aussi qu'il s'éloigne de Tanya. S'il était revenu, peut-être n'aurait-il plus jamais été capable de s'en aller…

Il avala avec difficulté la boule qui s'était formée dans sa gorge.

— Je sais, mais mon père se souciait si peu que je sois ou non à la maison. Chaque fois que je lui téléphonais, la conversation se terminait toujours par une dispute.

Son père avait été la première raison de son éloignement de la plantation. Tanya était la seconde. Mais il n'allait pas l'admettre devant Ruth.

La cuisinière le foudroya du regard.

— Tout ça, grommela-t-elle, c'est parce que tu es aussi têtu que l'était ton père.

Main sur la hanche, elle le regarda droit dans les yeux.

— Alors, tu vas rester, cette fois ?

— Je n'ai pas le choix, dit-il, haussant une épaule.

— Et Tanya ? interrogea Ruth, visiblement soucieuse.

— Elle va continuer à gérer la plantation.

Les traits de la cuisinière se détendirent.

— Bien.

Elle fit mine de s'en aller puis s'arrêta à la porte et se retourna vers David.

— Tu sais, tout le monde ici est très attaché à Tanya. Quand elle est arrivée à la plantation, ce n'était qu'une jeune fille effrayée et j'ai peine à imaginer à quel point il doit être horrible pour elle de ne pas se souvenir d'un seul détail de son passé. Malgré l'accident qui lui a fait perdre la mémoire, il ne lui a pas fallu longtemps pour tout diriger avec Edward. Elle a gagné la position où elle se trouve par un travail acharné qui lui a valu le respect de ton père.

Ruth poursuivit, la voix pleine d'admiration :

— Cette dernière année a été particulièrement difficile pour elle. Quand le cancer de ton père a été diagnostiqué, outre le travail de la ferme, elle l'a accompagné à chaque rendez-vous médical. Elle a pourvu à tous ses besoins. Quand son état a empiré, elle n'a pas été absente une seule nuit à son chevet. Il l'adorait, tu sais.

David souleva la carafe de thé glacé et en remplit son verre. La décontraction de son geste ne manifesta en rien à quel point il avait l'estomac noué.

— Je sais, dit-il.

Ruth ferma à demi les yeux.

— Vraiment, David ? lança-t-elle, l'air de ne pas très bien savoir si elle devait le croire. Tanya est quelqu'un de spécial. Je ne peux pas te dire comment je le sais, mais c'est un fait. Ton père m'avait dit, lui aussi, qu'il voyait quelque chose de particulier en elle. C'est pour cela qu'il l'a gardée à Cottonwood. Il avait deviné son potentiel et désirait le développer.

— D'après ce que j'en ai vu, il a fait un excellent travail, observa David, l'estomac encore plus serré.

Ainsi, son père avait deviné les qualités de Tanya, mais pas celles de son propre fils ? Malgré tout, David mit un frein à son amertume. En dépit du sentiment de déception qui le vrillait, il devait des excuses à Tanya.

— Aucun de nous n'aimerait qu'il arrive du mal à cette jeune femme, dit Ruth. Dieu sait qu'elle a suffisamment souffert.

— Je n'ai aucune intention de la faire souffrir.

La cuisinière lui décocha un regard acéré.

— Peut-être pas. Mais je me rappelle combien elle t'idolâtrait.

— Il y a bien longtemps. Elle n'était qu'une gosse, alors.

Ruth garda un instant le silence, puis son regard s'adoucit.

— Le temps ne change pas toujours les sentiments.

Quand Ruth fut repartie, David commença son dîner. Il n'avait plus guère d'appétit. Il tournait et retournait sans cesse la dernière phrase de la cuisinière dans sa tête.

Elle devait se tromper, songea-t-il. Parce que, si elle avait raison, il allait être plus dur qu'il ne le pensait, voire impossible, de ne pas tomber amoureux de Tanya. Bon sang ! Chaque fois qu'il était près d'elle, il ne pensait qu'à la toucher.

David vida son assiette et but le contenu de son verre.

Quelle était la véritable raison de l'absence de Tanya au dîner ? Et si elle était malade ? Décidé à en avoir le cœur net, il se leva et emprunta l'escalier qui menait au troisième étage. En haut des marches, David suivit le corridor dans le sens opposé à celui de sa propre chambre et s'arrêta devant la porte de Tanya.

— Tanya ?

Il donna un coup léger sur le battant et attendit sa réponse. Comme rien ne venait, il tendit la main vers le bouton et hésita. Devait-il entrer ? Sans doute pas. Peut-être dormait-elle ? Dans ce cas, se dit-il, en frappant une nouvelle fois sur le battant, il allait la réveiller. Et si elle était malade ? Il songea à tous ces mois au cours desquels elle avait soigné son père. Si elle ne se sentait pas bien, si elle avait besoin d'aide, elle méritait que quelqu'un s'occupe d'elle. A la pensée qu'elle puisse être seule et malade, il cogna de nouveau à la porte.

Surprise, Tanya retint son souffle. Elle avait pourtant donné des instructions pour ne pas être dérangée. Se pouvait-il que ce soit David ? Elle ne pourrait pas supporter qu'il la voie dans cet état. S'il s'apercevait qu'elle n'était pas assez forte pour dominer son chagrin, il pourrait l'estimer également incapable de gérer la plantation. Alors ils auraient une fois de plus cette dispute...

Elle enfouit le visage dans son oreiller en essayant d'étouffer le bruit de ses sanglots. Pourquoi ne parvenait-elle pas à s'arrêter de pleurer ? Elle était dans sa chambre depuis des heures et son chagrin l'avait tellement accablée qu'elle avait sangloté au point de s'endormir. A son réveil, peu de temps auparavant, ses larmes avaient recommencé à couler. Elle était tellement lasse d'être forte !

Quand la poignée de la porte remua faiblement et que celle-ci s'ouvrit avec lenteur, elle comprit que David était entré dans sa chambre. Elle entendit la porte se refermer puis un bruit de pas qui s'approchait. Son cœur commença à battre la chamade. En dépit de son désir de rester calme, un sanglot brisa le silence de la pièce.

— Tanya ? murmura David en s'avançant encore.

Il savait bien qu'entrer dans la chambre de Tanya était une violation de sa vie privée, mais il n'avait pas pu se retenir. Il voulait être certain qu'elle allait bien. Ensuite, il s'en irait. Visage détourné, elle était roulée en boule sur son lit et sanglotait dans son oreiller. David la considéra avec stupéfaction. Il comprenait enfin toute l'étendue de sa douleur. L'estomac noué, il s'approcha d'elle. Sans trop savoir que faire ou que dire, il s'assit sur le rebord du lit et lui toucha doucement l'épaule.

— Va-t'en ! dit Tanya, mortifiée, en cherchant à échapper à son contact.

Pourtant, malgré son geste de refus, elle se rendait compte à quel point elle désirait qu'il la prenne dans ses bras. Oh, comme elle avait besoin d'être étreinte, réconfortée et assurée que son horrible chagrin allait se dissiper...

— Tanya, voyons ! murmura David.

Il comprenait enfin pourquoi il était la dernière personne à qui elle avait envie de se confier. Intérieurement, il se maudit. Après ce dont il l'avait accusée, elle avait bien le droit d'être perturbée par sa présence. Sans aucun doute, elle le détestait et avec raison. Soudain, il eut honte de lui avoir causé tant de souci alors qu'elle avait déjà le cœur brisé.

— Qu'est-ce que tu fais ici ? demanda-t-elle d'une voix étouffée par l'oreiller, mais toujours sans bouger.

— J'ai frappé, mais je crois que tu n'as pas entendu.

— Si.

La vivacité de sa réponse fit sourire David. Bon, c'était un peu dur à avaler. Elle ne voulait pas de lui dans sa chambre, mais elle souffrait et avait besoin d'une présence. Il n'avait pas été là pour son père, se dit-il, peut-être alors pourrait-il se racheter un peu en étant présent pour elle ?

Il lui devait bien cela, et même davantage.

Assis au bord du lit, il se sentit troublé et surpris d'avoir pensé cela. Quand, de nouveau, il lui posa la main sur l'épaule, elle se raidit. Pourtant, il ne retira pas sa main.

— Ecoute, dit-il. Je veux seulement que tu me parles.

A son contact, à la tiédeur qui s'insinuait en elle, Tanya poussa un soupir. Elle songea à quel point elle devait être horrible à voir. Elle renifla et saisit quelques mouchoirs en papier dans la boîte posée près de son lit pour se moucher.

— Je vais très bien, mentit-elle en ravalant ses larmes.

Il était impossible de mettre son âme à nu devant David, songea-t-elle. Il ne comprendrait jamais ce par quoi elle passait, car il n'y avait pas eu le même rapport d'affection entre son père et lui. Elle combattit son besoin de lui parler de sa douleur et de lui confier combien Edward lui manquait.

— De toute évidence, observa David, ce n'est pas vrai.

Tanya se retourna vers lui sur le lit et son regard erra partout sauf sur son visage.

— Tu ne peux pas m'aider, chuchota-t-elle, à la fois désireuse de le voir s'en aller mais aussi de le voir rester.

David passa en revue la tenue négligée de la jeune femme. Malgré ses cheveux ébouriffés, ses yeux bouffis et les traces de larmes sur ses joues, il la trouva belle. Conscient de jouer avec le feu, il lui caressa doucement l'épaule. Quand une nouvelle larme s'écoula, il eut l'impression qu'un poing lui écrasait le cœur.

— Voyons, Tanya, peut-être que si, dit-il, emporté par un puissant besoin de la réconforter. Je sais que tu as mal. Je reconnais ne pas ressentir une émotion aussi profonde pour mon père, mais en dépit de ce que tu crois, je n'ai pas un cœur de pierre.

Tanya lui jeta un regard et soupira. Elle finit par trouver la force de se relever et s'assit à côté de lui. Leurs yeux se croisèrent et son expression s'adoucit lorsqu'elle aperçut dans ceux de David l'ombre d'une profonde inquiétude.

— Non, je ne le pense pas, David, répéta-t-elle.

Pourquoi ne lui avait-il pas posé de questions à propos de son père ? s'était-elle demandé. Si elle partageait ses sentiments avec lui, peut-être cela aiderait-il David à adoucir son propre chagrin...

— Il me manque, murmura-t-elle.

Au seul énoncé de ces trois mots, toute sa peine revint en force et elle ferma les yeux pour lutter contre sa douleur.

— Je le sais bien, répondit David.

Un sentiment d'impuissance s'empara de lui. Oh, comme il aurait voulu trouver quelque chose à dire ou à faire pour apaiser son angoisse ! Il résista à son envie de la prendre dans ses bras, car, sans aucun doute, elle repousserait ses offres de réconfort.

— C'est particulièrement dur maintenant, dit-elle, le regard perdu. A l'approche de l'hiver, il n'y a plus grand-chose à faire ici et je ne sais pas comment je vais pouvoir occuper autrement mon esprit.

Elle avait tellement de temps pour penser désormais. Tout ce qui l'entourait, tout ce qu'elle faisait, lui rappelait Edward.

— Et je n'ai pas été d'un grand secours, admit David.

Tanya se mordilla la lèvre. Il était inutile d'ajouter à son fardeau.

— Je sais que cela n'a pas non plus été facile pour toi.

Vraiment, songea David, elle l'étonnait. Malgré l'étendue de sa peine, elle pensait à lui. Rien d'étonnant à ce que son père ait eu autant d'affection pour elle. David, lui, malgré sa promesse de veiller sur elle, s'était montré méprisant. Il n'avait pensé qu'à sa propre misère morale et n'avait pas tenu parole.

S'il ne pouvait rien faire d'autre, au moins il s'en tiendrait à son serment, se dit-il.

— Perdre quelqu'un à qui l'on tient n'est pas facile, observa-t-il. Tu as passé beaucoup de temps avec mon père.

Des larmes brillèrent dans les yeux de Tanya, mais elle se força à les refouler.

— J'adorais travailler avec lui. Je sais que c'était dur pour toi lorsque tu revenais à la maison et que tu me trouvais ici, mais ton père m'a donné une seconde chance. Je ne l'ai jamais oublié et j'ai travaillé dur pour essayer de lui faire plaisir.

Elle dut s'arrêter, tant l'émotion qu'elle ressentait était forte. Elle inspira et poursuivit :

— Je sais que vous ne vous êtes pas toujours bien compris. Je vous ai entendus vous disputer quand tu es revenu l'été où je suis arrivée ici. D'ailleurs, au début, ton père lui-même gardait ses distances avec moi. Mais il n'y avait rien ni personne sur quoi centrer mon intérêt, aussi j'ai fait tous mes efforts pour qu'il me fasse un signe, n'importe quoi pour me faire comprendre qu'il m'aimait bien.

Elle sourit à travers ses larmes.

— Il a longtemps résisté à toutes mes tentatives, mais j'ai continué à grignoter ses défenses morceau par morceau.

— Tu as réussi une chose que je n'ai jamais su faire de toute ma vie, reconnut David, surpris lui-même de son admiration pour elle.

Tanya lui toucha le bras.

— Je suis tellement désolée, dit-elle d'une voix douce.

Elle n'était pas encore à la ferme quand la mère de David était morte, mais d'après certains commentaires d'Edward, elle avait compris que cette époque de leur vie avait été terrible. Pourtant, il n'était pas juste qu'il ait repoussé son fils. Chaque fois que Tanya avait tenté de le faire parler de sa manière de traiter David, elle se heurtait à son refus. C'était le seul sujet qu'il refusait d'évoquer.

— Tu vas peut-être trouver ça bizarre, mais j'ai parfois eu l'impression de remplir un vide dans son existence, d'être la présence féminine qui lui manquait.

— Ça n'a rien de bizarre.

En fait, plus David y pensait et plus cela lui paraissait normal.

— D'abord, poursuivit Tanya, comme j'étais une femme, il m'a astreinte à des travaux domestiques. Mais je désirais rester avec lui et je l'ai supplié jusqu'à ce qu'il me laisse le suivre. Au bout d'un certain temps, il a commencé à me donner de plus en plus de petites tâches à remplir sur la plantation. Parfois même, il m'emmenait travailler avec lui.

Elle leva les yeux vers David et ébaucha un sourire plein de tristesse.

— Le soir, après dîner, nous regardions ensemble la télévision.

David vit ses yeux s'illuminer et le coin de ses lèvres se retrousser un peu.

— Comme il l'aimait, sa télévision ! Il adorait aussi les mots croisés. Il y en a des recueils plein la maison, et je… je l'aidais…

Tanya s'interrompit. Ses lèvres frémirent. Un nouvel assaut de larmes s'annonçait. Ses épaules commencèrent à trembler et elle se couvrit le visage de ses mains.

— Viens ici, Tanya, dit David en l'attirant vers lui. Chut, ça va aller maintenant.

Mais elle continua à pleurer. Alors David la serra plus fort et elle s'abandonna à son chagrin. Quand il lui caressa les cheveux, elle pressa son visage contre sa poitrine et laissa couler librement ses larmes. David la garda contre lui jusqu'à ce qu'elle se calme et que son souffle s'apaise.

— Je suis désolée, dit-elle enfin d'une voix à peine audible.

Prenant son courage à deux mains, elle leva les yeux vers lui. Elle n'arrivait pas à croire qu'elle ait pu se laisser aller ainsi entre les bras de David. Elle cligna des yeux pour chasser ses dernières larmes. C'était si bon d'être contre lui, de se sentir environnée de sa chaleur et de sa force et d'entendre son cœur solide battre tout contre elle. La nuit était tombée. Un manteau d'ombres dessinées par le clair de lune les environnait. Tanya se trouvait enfin là où elle avait toujours voulu être depuis ses dix-sept ans : dans les bras de David. Leur intimité dans sa chambre, sur son lit, éveillait un désir profondément enfoui en elle. Prise dans le filet de ses émotions, il ne lui était maintenant plus possible de les ignorer. Elle leva la tête. Leurs bouches étaient proches, si proches... L'haleine tiède de David se mêlait à la sienne. Elle croisa son regard. Fascinée, Tanya resta immobile, incapable de faire un geste.

— Tanya, murmura David.

Il y avait une question dans la douceur de sa voix mais elle y devina aussi du désir. Il chercha son regard. Incapable de parler, Tanya attendit simplement que sa bouche rencontre la sienne avant de s'immerger dans son baiser. Lorsque David glissa sa langue dans sa bouche, caressante, gourmande, tout son corps s'enflamma. Ses seins durcirent et un torrent de passion lui fit abandonner toute raison. Elle se serra contre lui. Elle désirait davantage encore de lui. Leurs corps se touchèrent et Tanya oublia ce que David lui avait apporté, pourquoi elle avait souffert. Il glissa les mains derrière elle et lui prit la nuque pour lui maintenir la tête pendant que sa langue plongeait plus avant dans sa bouche. Le plaisir absolu de son baiser consuma chaque fibre de son être. Elle l'entoura de ses bras et se pressa un peu plus contre lui. Elle ressentait un tel besoin de lui que plus rien au monde n'avait d'importance pour elle. Dos cambré, elle lui donna accès au décolleté de sa blouse et, soudain, il n'y eut plus aucune barrière entre eux. La bouche de David s'empara d'un sein et Tanya s'embrasa d'un plaisir tellement intense qu'il la fit crier.

Le son de sa voix se répercuta dans la chambre et elle se figea. David était sur elle et ses lèvres sur son mamelon lui créaient des sensations inouïes.

Tout cela était mal, songea-t-elle confusément. Elle avait besoin d'apaiser son chagrin, certes. Mais pas en faisant l'amour avec le fils d'Edward. Comment pouvait-elle en arriver là ? Comment pouvait-elle prendre du plaisir entre les bras de David, cet homme qui ne lui avait pas manifesté une once de respect depuis son retour, quand elle aurait dû être en train de pleurer la mort d'Edward ?

Visage empourpré, David leva la tête et la regarda.

— David, laisse-moi me lever, supplia-t-elle d'une voixdésespérée.

Elle posa les mains contre son torse et tenta de le repousser. Surpris, David la fixa. Ses yeux étaient sombres et brillants. Il avait toutes les raisons d'être en colère, mais Tanya n'avait cure de ses émotions. Elle avait déjà bien assez de mal à assumer les siennes.

— Tanya…

— Maintenant, s'il te plaît.

Sans ajouter un mot, David roula sur lui-même et se remit debout. Il tendit la main pour l'aider à se relever, mais Tanya se faufila hors du lit par ses propres moyens Elle était incapable de lever les yeux sur lui. Que devait-il penser d'elle ?

— Va-t'en, je t'en prie, dit-elle, ravalant un sanglot.

Elle se détourna de lui.

— Tanya…

— S'il te plaît, laisse-moi seule.

Elle ferma étroitement les paupières et, tête baissée, serra les bras autour d'elle. David ne dit plus rien. Un instant plus tard, Tanya entendit la porte de la chambre s'ouvrir puis se refermer. Le silence s'abattit sur elle, et elle se sentit encore plus seule qu'avant la venue de David. A cet instant seulement, elle s'aperçut qu'elle avait retenu son souffle.

Elle avait failli commettre l'irréparable !

4.

Restée seule, Tanya enfila une chemise de nuit et s'écroula presque dans son lit. En dépit de sa sensation d'épuisement, elle n'avait pas sommeil. C'était même exactement le contraire, car son esprit passait et repassait en revue ce qui avait failli se passer. Pour la seconde fois de sa vie, elle s'était jetée à la tête de David. Comment maintenant lui expliquer sa réaction ?

« Tu étais perdue. Tu avais besoin de réconfort et c'est lui qui te l'a offert. »

Certes, mais ce qui avait commencé comme un geste d'apaisement avait évolué vers quelque chose de beaucoup plus intime. Si elle avait eu tout son bon sens, elle n'aurait pas laissé David l'embrasser. Et elle ne lui aurait pas rendu son baiser.

« Tu mens. Tu désirais l'embrasser. »

Son cœur se serra, parce que son esprit disait vrai. Un baiser ? Elle avait désiré bien davantage encore. Elle avait eu envie de faire l'amour avec David et elle le voulait encore. Un lourd soupir s'échappa de ses lèvres. Si elle s'était laissée aller, que se serait-il passé ensuite ? David avait sa vie à Atlanta. Il lui avait clairement fait savoir qu'il restait ici parce qu'il acceptait les dernières volontés d'Edward. Une fois l'année écoulée, il quitterait Cottonwood. Il la quitterait.

Pourrait-elle encore une fois supporter son départ ? Surtout maintenant, que son cœur était en grand danger… Non, s'engager avec David serait une grossière erreur, un suicide émotionnel. Il l'avait déjà fait souffrir une fois. Certes, elle avait dix-sept ans alors et elle était jeune et naïve. Mais elle avait encore eu très mal lorsque David l'avait embrassée comme s'il la désirait réellement avant de se détourner et de s'en aller, sans un mot d'excuse, disparaissant de sa vie pour de longues années. Cinq années, durant lesquelles elle avait ardemment souhaité son retour. Elle avait laissé son ridicule béguin d'écolière gâcher toutes ses autres chances d'établir une relation avec un homme. Elle n'était sortie qu'une fois ou deux, elle ne se souvenait même plus quand, avec Jack Dawson, un riche banquier. Ensuite, elle avait laissé passer d'autres occasions. Tout cela ne l'intéressait pas. Seule comptait Cottonwood. Son existence était bien assez occupée avec la plantation et Edward.

« Mais la véritable raison était que Jack n'était pas David. »

Tanya serra les poings. Pourquoi ne cessait-elle pas de penser à lui ? Il était tellement exaspérant, à la fin ! Sans oublier qu'il n'avait pas confiance en elle. Dès son arrivée, il s'était montré odieux et insultant. Ensuite, avec la glaciale gravité des hommes d'affaires, il avait recherché des moyens de se débarrasser d'elle. Tanya se retourna et contempla par la fenêtre le magnolia éclairé par la lune.

« Regarde les choses en face, se dit-elle. Tu es déjà à moitié amoureuse de lui. Tu as porté tes sentiments pour lui durant cinq longues années à cause d'un seul baiser. Tu as vécu en te répétant que David reviendrait à la maison, ferait la paix avec son père et t'avouerait son amour. » A la façon dont il l'avait embrassée tout à l'heure, elle le soupçonnait d'être attiré vers elle.

Elle poussa un profond soupir. Il n'en était sans doute pas plus heureux qu'elle. Que faire alors ? Continuer à le repousser ? Se refuser à une relation intime avec lui ? Tanya se retourna sur le dos et contempla le plafond d'un regard absent. Le mieux était de limiter les dégâts. Elle le verrait le lendemain matin. Tout d'abord, elle lui présenterait des excuses pour sa conduite. Cela se passerait sans doute au petit déjeuner. Elle lui dirait qu'elle avait commis une erreur parce qu'elle était affolée. Il lui suffirait de l'éviter tout au long de la journée. Le jour suivant, elle devait aller assister à une réunion à Washington. Même si elle craignait ce moment, elle avait programmé ce voyage depuis des mois déjà, car elle avait promis à Edward de s'y rendre. Pour elle, c'était une chose difficile, car elle quittait rarement Cottonwood. Eh bien maintenant, elle était heureuse de s'y rendre. Elle avait besoin de mettre un peu d'espace entre David et elle, de s'accorder un petit temps de réflexion à propos de ses sentiments. A son retour, ce qui s'était passé entre eux serait enterré et oublié.

Oublié ? Vraiment ? Enervée, Tanya donna un coup de poing dans son oreiller. Serait-il possible d'oublier ce qu'elle avait ressenti dans les bras de David ? Ce qu'elle avait ressenti quand il l'avait embrassée ? Quand il l'avait caressée d'une manière aussi intime ? Les yeux clos, elle s'efforça d'oublier l'image de sa main posée sur son corps, de sa bouche sur son sein. Au lieu de cela, un désir profond et douloureux s'empara d'elle. Elle enfonça la tête dans l'oreiller et gémit.

Un hurlement vrilla le silence de sa chambre et Tanya se redressa d'un bond. Le cœur fou, elle parcourut la pièce du regard. Elle était seule dans sa chambre et dans son lit. Le cri, c'était elle qui l'avait poussé. Trempée de sueur, luttant pour reprendre son souffle, elle enfouit son visage entre ses mains. Encore un cauchemar, songea-t-elle. Pourtant, les images s'étaient déjà enfuies. Les mains sur les tempes, elle se balança d'avant en arrière sur son lit. Que lui arrivait-il ? Pourquoi ces rêves continuels, ces cauchemars plutôt, si effrayants ? Pourquoi revenaient-ils de plus en plus souvent ? Le premier, elle l'avait fait quelques mois auparavant et, en dépit de l'impression troublante qu'il lui avait laissée, elle l'avait attribué au stress. Mais, peu de temps après, elle en avait eu un autre, plus intense que le premier. Maintenant, ils revenaient au bout de quelques jours et chaque fois la laissaient plus ébranlée et confuse. Qu'est-ce que cela signifiait ? Et pourquoi ne pouvait-elle se rappeler de rien à son réveil ?

Tout à coup, un visage issu de son rêve jaillit en un éclair au fond de son esprit. L'image se précisa avant de disparaître. Une jeune fille. Une adolescente, songea-t-elle. Avec des cheveux passés au henné et un anneau dans un sourcil. Qui était-ce ? Le même visage en tout cas qui était apparu dans chacun de ses rêves. Comment le savait-elle ?

Elle n'en était pas trop sûre. Fermant les yeux, elle tenta de se souvenir du visage de la jeune fille. L'avait-elle connue longtemps auparavant, avant de perdre la mémoire ? Etait-elle une sœur ? Une amie ? En dépit de tous ses efforts, il lui fut impossible de se rappeler autre chose. Elle ouvrit les yeux, respira profondément et quitta son lit. Ses jambes flageolaient. Etait-ce à cause du rêve ou de David ? Elle n'aurait su le dire. Mais puisqu'il lui faudrait toute sa concentration pour l'affronter, elle fit un effort pour repousser le rêve au fond de son esprit. Elle se passa la main dans les cheveux et se dirigea vers la salle de bains. En s'apercevant dans le miroir, elle étouffa une exclamation. Elle avait les yeux rouges et gonflés, les cheveux en bataille. Avec un grognement, elle tourna le robinet, ajusta la température de l'eau puis se mit sous la douche. Le jet fumant chassa de sa peau la fraîcheur matinale de novembre, mais ne fit rien pour effacer de son esprit le visage saisissant de la jeune fille du rêve.

Après s'être longuement douchée, Tanya se sécha les cheveux puis, parce que c'était dimanche et qu'elle ne travaillait pas à l'extérieur, décida de ne pas faire de frais de toilette. Après un coup de blush sur les joues et s'être habillée de vêtements confortables, elle se sentit un peu plus décente. Assez présentable sans doute pour affronte David. Un coup d'œil à sa montre et elle fronça les sourcils. Le temps avait passé plus vite qu'elle ne l'avait cru. Elle se hâta de descendre, non sans avoir remarqué que la porte de David au bout du corridor était fermée. Tant mieux ! Elle avait le temps de gagner la première la salle à manger. Au moins, elle aurait l'avantage d'être assise quand David entrerait.

Mais, à son grand ennui, David était déjà installé à table, un journal à la main, lorsqu'elle pénétra dans la pièce.

Elle s'avança et sentit son regard sur elle. Elle trébucha et se maudit en silence. Pour ne pas avoir l'air ridicule et paraître embarrassée par ce qui s'était passé la veille, elle s'assit sur le siège à côté de lui.

— Bonjour, dit-elle en rapprochant sa chaise de la table.

Sa fragrance masculine flotta vers elle. Il était rasé de près, les cheveux aux pointes encore un peu humides. Il venait sûrement de prendre sa douche… et dans le fond de l'esprit de Tanya s'insinua une image traîtresse : David nu sous la douche. Elle avala péniblement sa salive et, avec un gros effort, bannit cette vision avant de lui glisser un coup d'œil en coin. Sa chemise était signée d'une grande marque, son pull-over d'un gris très doux semblait en cachemire et il avait laissé ouverts les trois premiers boutons à la base de son cou, laissant apparaître le haut d'une toison virile. Malgré la tentation de poursuivre son exploration, Tanya préféra éviter le regard de son voisin.

— Bonjour, Tanya, répondit David qui replia son journal et le mit de côté.

Il la contempla et son cœur se mit à battre plus vite. Aucune femme ne l'avait comme elle troublé d'un simple coup d'œil. Pas même Melanie. Pendant des années, il avait bridé son attirance pour Tanya et choisi de vivre à Atlanta dans l'espoir de l'oublier. Mais le souvenir de son baiser l'avait hanté. A l'instant où il l'avait revue, il avait compris qu'il avait seulement réussi à enterrer temporairement son attirance pour elle. Ces derniers jours, il avait eu de plus en plus de difficultés à résister au désir de la toucher. Après la nuit dernière, après avoir de nouveau goûté ses lèvres, il s'abusait s'il croyait réellement pouvoir garder ses distances !

Ce matin, habillée sans façon d'un jean et d'un sweater, elle était stupéfiante. Elle avait laissé ses cheveux détachés, et des mèches blondes encadraient son visage, dissimulant son expression. Depuis l'aube, il avait attendu cet instant, il l'avait attendue. Levé bien avant le soleil, il avait espéré la voir au petit déjeuner, bien décidé à la coincer au cas où elle aurait filé pour l'éviter.

Il y avait encore pas mal de choses non réglées entre eux. Depuis son arrivée, il s'était mal conduit avec elle. Elle devait le détester à cause de sa réaction le jour où son père était mort. C'était peut-être à cause de cela qu'elle n'avait pas voulu faire l'amour avec lui la veille au soir... David ne pouvait l'en blâmer. Il lissa de la main le bord de son journal tout en jetant un regard vers Tanya. Elle ne pouvait deviner que la plupart de ses actes, depuis son retour à Cottonwood, étaient liés à ses sentiments pour son père.

Cottonwood lui appartenait. Il voulait la plantation. Il n'avait jamais vraiment songé à s'en aller, seulement à sauvegarder une partie de sa relation avec son père. Cela n'aurait pas pu être possible s'il était resté. Désormais, il avait fait sa vie à Atlanta, pas ici. Et, parce qu'il en voulait tellement à son père, il avait reporté sa frustration sur Tanya. Après le baiser d'hier soir, après lui avoir presque fait l'amour, il avait de plus en plus de mal à se maîtriser. Il n'avait pas fermé l'œil de la nuit à la seule pensée de toutes les parties de son corps qu'il désirait toucher. Qu'y avait-il en elle qui le rendait à moitié fou ? Il avait encore le goût de sa peau dans la bouche. Ce qui pouvait se passer entre eux restait à voir. Mais pour l'instant, il devait mettre les choses au point.

— Ecoute, je…

— Je voulais…

Ils s'interrompirent en même temps et échangèrent un regard en silence. Comme Tanya hésitait, David sauta sur l'occasion de s'exprimer le premier.

— Si tu n'y vois pas d'inconvénient, dit-il avec une légère grimace, j'aimerais bien commencer.

— Très bien, répondit Tanya, guère capable d'aller plus loin.

A son regard sombre, elle avait remarqué son trouble. David hésita, essayant, devant son regard surpris, de deviner sa réaction. Puis, après une profonde inspiration, il se lança :

— Je te dois des excuses, Tanya, bien qu'il n'y ait sûrement pas assez de mots pour excuser mon comportement depuis mon arrivée.

Tanya ouvrit de grands yeux.

— Quoi ?

— En dépit de ce que tu peux penser, Cottonwood signifie beaucoup pour moi. Cette plantation est dans ma famille depuis des années. J'étais sur le point de la perdre et je t'en voulais de cette clause que mon père a ajouté à son testament.

Il lui en voulait aussi de la relation particulière qu'elle avait entretenue avec lui, mais il se garda de lui avouer.

— C'est juste que…

Il hésita, cherchant ses mots, avant de poursuivre :

— J'étais tellement furieux contre lui. Je n'aurais pas dû me défouler sur toi.

— Oh !

Devait-elle le croire ? se demanda Tanya. Le domaine de Cottonwood signifiait-il autant à ses yeux ou alors voulait-il simplement l'empêcher d'en hériter ? Malgré ses excuses, elle était certaine d'une chose : David n'avait pas changé d'avis à propos de sa présence à la plantation. Soudain désemparée, elle repoussa une nouvelle vague de larmes. Malgré leur baiser, malgré les sentiments qu'elle lui portait, rien n'avait vraiment changé entre eux. Sauf que… maintenant, elle savait qu'il la désirait. Elle ne savait pas trop quoi faire. Peut-être devrait-elle abandonner et quitter Cottonwood ? Et dans ce cas, où aller ? Elle songea à Edward et à quel point elle l'avait aimé. Grâce à lui, elle avait un toit et un emploi. Que cela plaise ou non à David, son père l'avait inscrit dans son testament.

David s'éclaircit la gorge, mettant un terme aux pensées agitées de Tanya.

— Il y a autre chose dont je désire te parler. J'aurais dû te le dire tout de suite, mais… enfin voilà, je te remercie d'avoir pris soin de mon père.

Malgré les efforts de Tanya pour ne pas pleurer, ses yeux s'emplirent de larmes.

— Je t'en prie, murmura-t-elle.

Ils continuaient à se fixer, comme saisis par l'intensité du moment, puis Tanya détourna les yeux. Les mains serrées sur les genoux, elle trouva pourtant le courage de rencontrer de nouveau son regard.

— Puisque nous sommes dans le registre des excuses, je t'en dois également.

Elle hésita, se mordilla la lèvre et une douleur lui vrilla la poitrine. Les sourcils de David se haussèrent.

— Je n'arrive pas à imaginer pour quelle raison.

— Euh… pour ce qui s'est passé hier soir. Je veux que tu saches que j'en suis désolée. J'étais très bouleversée et j'ai laissé les circonstances nous entraîner tous les deux.

— Je ne suis pas certain de bien comprendre. Tu t'excuses d'avoir presque fait l'amour avec moi ? dit-il d'un ton circonspect.

Tanya regarda vers la porte puis de nouveau vers lui.

— Non. Oui. Enfin, j'imagine ce que tu as dû penser. Et cela ne t'ennuierait pas de parler plus bas ? Ruth pourrait bien entrer d'un moment à l'autre.

Comme par enchantement, la porte s'ouvrit sur Ruth.

— Il me semblait bien avoir entendu des voix par ici, s'exclama-t-elle.

Elle posa sur la table un plat d'œufs au bacon et un autre de toasts. Puis elle se tourna vers le buffet et prit des assiettes et des couverts en argent.

— Bonjour, David, dit-elle en les plaçant devant eux. C'est bon aussi de te voir, Tanya. Je vois que tu te sens mieux, aujourd'hui.

— Bonjour, Ruth. Oui, je vais mieux, merci, et je meurs de faim. Tout cela sent merveilleusement bon.

Elle ne mentait pas. Son estomac criait famine. Elle prit un toast et croqua dedans avant de passer le plat à David. Le compliment fit sourire la cuisinière.

— Parfait. Alors, sers-toi. J'apporte le café dans un moment.

Elle s'éclipsa, mais revint presque aussitôt avec une cafetière et leur servit une tasse à chacun. Elle était sur le point de s'en retourner, lorsque Tanya l'arrêta.

— Ruth !

Ruth s'arrêta près de la porte.

— Oui ?

— Je voulais juste vous rappeler que je ne serai pas là demain.

— Ah, oui, c'est juste. Je crois l'avoir noté sur mon agenda de cuisine, mais merci de me le rappeler.

Elle quitta la pièce et Tanya s'occupa les mains en beurrant une tartine. Lorsqu'elle eut fini, elle leva les yeux vers David qui l'observait d'un air curieux. Tanya mâcha sa bouchée et l'avala.

— Où en étions-nous ?

— Tu étais en train de me dire que tu savais ce que je pensais après t'avoir embrassée hier soir, je crois.

David comprit qu'elle n'était pas dans le même état d'esprit que lui la nuit dernière... Visiblement, elle ignorait la profondeur de ce que lui avait ressenti. Ils avaient franchi une frontière. Il avait eu envie de lui faire l'amour. Encore et encore. A en perdre le souffle.

Evitant son regard, Tanya se servit une autre portion d'œufs au bacon.

— Je voulais dire que je n'aurais pas dû te laisser m'embrasser, précisa-t-elle.

Elle lui jeta un regard en coin et s'absorba dans ses gestes.

— J'étais si triste d'avoir perdu ton père, que je...

— Tu n'as pas aimé m'embrasser, constata David d'un ton uni en lui prenant le plat des mains pour se resservir à son tour.

Tanya laissa tomber sa fourchette sur le parquet et tâtonna pour la ramasser.

— Tu ne m'aides pas du tout, s'écria-t-elle avec un regard frustré.

David haussa les sourcils.

— Navré. Pourquoi ne pas me raconter ça pendant que je mange ? suggéra-t-il.

— Tu dois me juger horriblement mal, je le sais. L'instant d'avant, j'étais là à pleurer ton père et celui d'après, j'étais pratiquement... enfin, tu sais bien. J'ignore ce qui m'est arrivé. Simplement, cela m'a semblé réconfortant que quelqu'un me tienne dans ses bras et m'écoute.

L'appétit soudain coupé, David cessa de manger.

— Si je te comprends bien, tu avais besoin de quelqu'un sur qui t'appuyer, et je suis arrivé au bon moment, c'est ça ?

Tanya s'empourpra, soulagée de constater qu'il n'avait pas mentionné qu'ils avaient presque fait l'amour.

— Eh bien, oui.

Un muscle joua dans la mâchoire de David. Ainsi, ce qui s'était passé entre eux ne signifiait rien pour elle ? Il se rappela la façon dont elle avait répondu à son baiser, et en douta sérieusement. Toutefois, il prit le parti de ne pas la pousser à bout.

— Alors, nous sommes d'accord ? reprit Tanya. Il s'agissait juste d'une erreur ?

Alors là, David ne la suivait plus du tout. Il ne savait qu'une chose : après la nuit dernière, il allait lui devenir de plus en plus difficile de garder ses mains tranquilles.

— Si c'est ce que tu veux…

Tanya déglutit avec peine avant de consulter sa montre. Mieux valait s'éclipser avant de faire quelque chose de stupide… comme de lui dire qu'elle était prête à prendre tout ce qu'il avait à lui offrir.

— Je ferais bien d'y aller, dit-elle. J'ai quelques coups de fil à passer.

Elle se leva, puis s'arrêta en apercevant le journal plié à côté de David. Sur la couverture s'étalait la photo d'un homme d'âge mûr, à l'air juvénile. Sourcils froncés, Tanya demanda :

— Qui est-ce ? J'ai l'impression de le connaître.

David hocha la tête et, saisissant le journal, le déplia et le leva pour qu'elle puisse mieux voir.

— C'est Abraham Danforth. Il vient d'être élu au Sénat.

— Ah oui, Abraham Danforth !

Tête penchée, Tanya considéra la photo et lut le bandeau en larges lettres juste au-dessus : « 'Danforth en route pour le Sénat ».

— Il a remporté l'élection. C'est dans toute la presse, ajouta David, surpris qu'elle ne l'ait pas reconnu.

Tanya fronça un peu plus les sourcils.

— Je savais qu'il avait gagné. En principe, il doit participer à la réunion à laquelle je me rends à Washington.

David lâcha le journal et se leva.

— Parle-moi un peu plus de ce voyage. De quoi s'agit-il ?

— Les planteurs de soja de Géorgie ont pris contact avec un comité de sénateurs pour discuter des directives gouvernementales sur l'importation et l'exportation, et leurs rapports avec le monde agricole. M. Danforth…

Elle s'interrompit, puis reprit.

— Le sénateur Danforth devrait participer à la réunion pour apporter son appui aux petits fermiers. J'ai hâte de le rencontrer.

Elle se pencha pour mieux regarder la photo.

— Il est très séduisant, commenta-t-elle d'un air pensif.

David cligna des yeux.

— Il est assez vieux pour être ton père !

— Je n'ai pas dit que j'avais envie de sortir avec lui, répliqua-t-elle, amusée. Je trouve juste qu'il a quelque chose de très charismatique dans le regard. Il m'intrigue.

David retourna le journal à plat sur la table.

— Je ne l'ai jamais rencontré, mais on a beaucoup parlé de sa famille dernièrement Tu ne te souviens pas que sa nièce a disparu, il y a quelques années ?

Devant l'expression confuse de Tanya, il secoua la tête.

— Désolé, dit-il.

Il savait combien il était difficile à Tanya de se souvenir de ce qui avait eu lieu avant son accident.

— Non, non, ça va. Sais-tu s'ils l'ont retrouvée ?

— Victoria Danforth ?

Il secoua la tête.

— D'après ce que j'ai entendu dire, sa famille ne s'est jamais remise de sa disparition.

Tanya reprit le journal et fixa de nouveau la photo d'Abraham Danforth. Incapable d'en détacher son regard, elle ne pouvait se défaire de l'impression d'avoir déjà vu cet homme.

« Bien entendu, tu le reconnais. C'est un personnage public ! »

— Dis-m'en un peu plus sur cette réunion à Washington ? demanda David.

Comme elle ne répondait pas, il se rendit compte qu'elle fixait toujours le journal.

— Tanya ?

— Quoi ? Oh…

Elle battit des paupières et laissa tomber le journal sur la table.

— Les planteurs de soja seront invités à s'exprimer, expliqua-t-elle. J'espère pouvoir faire part de mon point de vue. Les fermiers ont besoin d'avoir le gouvernement derrière eux, pas contre eux.

Durant ces quelques jours, David avait appris pas mal de choses sur Tanya. Elle était intelligente, déterminée et loyale, mais il ne pouvait se retenir de penser qu'elle aurait sans doute quelques difficultés à défendre ses opinions. Etait-elle jamais sortie assez longtemps de la plantation pour apprendre à parler en public ? Savait-elle vraiment dans quoi elle s'engageait ? Incapable de supporter l'idée de la voir humiliée, il proposa :

— Si tu veux, je peux y aller à ta place.

Tanya se dirigeait vers la porte. Elle s'arrêta net et se tourna vers lui.

— Pourquoi ?

Persuadé d'être plus à la hauteur qu'elle pour cette tâche, mais incapable de le lui dire franchement, il louvoya :

— Dans l'exercice de ma profession, il m'est très souvent arrivé de m'exprimer devant des huiles.

Il rattrapa Tanya et lui ouvrit la porte.

— Et tu ne m'en crois pas capable, hein, c'est ça ? lança-t-elle.

« Bravo pour la subtilité », songea-t-il, penaud.

— Ce n'est pas ce que je dis.

— Eh bien, David, répliqua-t-elle d'un ton froid, je me crois tout à fait capable de relever le défi. Mais j'apprécie ton offre.

Sa voix suggérait exactement le contraire.

— Quand comptes-tu partir ? interrogea David.

— Tôt demain matin. Pourquoi ? demanda-t-elle, les bras croisés sur la poitrine.

— Parce que, répondit-il d'un ton résolu, je t'accompagne.

5.

Le cœur de Tanya battit follement dans sa poitrine.

— Je ne crois pas, non.

Mains sur les hanches, David commença à se demander pourquoi chacune de leur discussion se terminait en dispute.

— Et pourquoi pas ? C'est bien toi qui as prétendu que je ne connaissais rien à la culture du soja ?

— Oui, d'accord, mais…

— Quelle meilleure opportunité aurais-je d'en entendre parler qu'en t'accompagnant pour écouter ce que les fermiers auront à dire ?

Ses arguments étaient beaucoup plus sensés que Tanya ne voulait bien l'admettre. Son seul problème était la vulnérabilité qu'elle ressentait en la présence de David. Elle savait, après le baiser de la veille, qu'elle aurait bien du mal à garder le contrôle de ses sentiments pour lui s'ils passaient beaucoup de temps ensemble. Elle redressa les épaules, décidée à se protéger.

— La meilleure manière d'apprendre en ce qui te concerne, c'est de séjourner ici de la saison des semailles jusqu'à la récolte.

— Grâce à mon père, ce sera le cas, répliqua-t-il sans sourire.

Il s'interrompit un instant, puis argua :

— Mais nous sommes en novembre et les semailles ne commenceront pas avant le début de l'année ! J'aimerais beaucoup aller à cette réunion. Tu n'auras qu'à me considérer comme un soutien moral.

Tanya s'efforça une nouvelle fois de le dissuader.

— J'aurai beaucoup de gens pour me soutenir, David, rétorqua-t-elle en lui citant trois noms de fermiers qu'elle connaissait et qui assisteraient à la réunion.

— Génial ! J'ai été absent si longtemps que je serai ravi d'avoir l'occasion de faire la connaissance des planteurs de la région et de connaître leur point de vue.

« Si tu m'accompagnes, songea Tanya, je ne serai pas capable de m'arrêter de penser à mon envie de t'embrasser. »

Elle pinça les lèvres et s'efforça de rechercher une autre raison, logique et sensée.

— Je suis certaine que tu as assez à faire avec ta propre entreprise, dit-elle enfin.

— Je suis capable de mener plusieurs affaires de front.

— Mais cette réunion est prévue depuis des mois ! s'exclama-t-elle, désespérant de le décourager. Du reste, tu ne trouveras sûrement pas une place d'avion.

David commençait sérieusement à avoir l'impression qu'elle ne voulait pas de lui et il se demanda pourquoi.

— Je prendrai l'avion de la société, dit-il.

— Quoi ? Tu possèdes ton propre avion ? demanda-t-elle, un instant déconcertée.

Selon toute apparence, elle n'avait aucune idée de l'importance de sa fortune. Après avoir consulté sa montre, il lui lança un coup d'œil amusé.

— Oui. Un petit jet. Je peux le faire venir à l'aéroport de Savannah en quelques heures. Pourquoi n'annulerais-tu pas ton vol et ne viendrais-tu pas avec moi ?

Désarçonnée, Tanya battit des paupières.

— C'est impossible.

Elle fit un pas en arrière, histoire de mettre un peu de distance entre eux, car la situation, maintenant, lui échappait.

— Bien sûr que si !

D'un pas, David revint se positionner près d'elle.

— Nous pouvons très bien aller en voiture jusqu'à Savannah et, là, prendre l'avion ensemble. De toute façon, tu étais bien obligée d'aller à Savannah, non ?

— Oui.

— Alors, c'est entendu. Ce sera plus raisonnable. Crois-moi, voler à bord de mon avion sera beaucoup plus agréable qu'à bord d'un appareil commercial.

Tanya s'humecta les lèvres.

— Je n'ai jamais pris l'avion, admit-elle.

En tout cas pas depuis qu'elle était venue vivre à Cottonwood. Du reste, si elle prenait en considération ce que les autorités leur avaient dit, elle était une enfant des rues et n'avait sans doute jamais vu un aéroport de sa vie.

— Jamais ? dit-il, incrédule. Mon père ne t'a jamais emmenée quelque part ?

Elle détourna les yeux puis son regard revint se poser sur David.

— Si, mais toujours en voiture. Ton père m'a souvent demandé de l'accompagner dans ses voyages d'affaires, mais je n'en ai jamais eu envie.

— Et pourquoi ça ? demanda-t-il, curieux.

— Je ne voulais pas qu'il m'arrive quoi que ce soit, admit-elle.

A Cottonwood au moins, elle savait qu'elle était en sécurité.

David lui toucha la main, puis sa paume remonta, caressante, le long de son bras jusqu'à son cou. Jusqu'à ce que Tanya le regarde.

— Je vais venir, Tanya.

A son intonation, elle comprit qu'elle n'avait plus aucune chance.

— Je te promets qu'il ne t'arrivera rien.

Pas encore prête à abandonner, Tanya plongea son regard dans le sien.

— Je peux très bien me débrouiller toute seule.

— Je n'en doute pas, mais je vais quand même t'accompagner.

Tanya eut très envie de se mettre en colère, mais elle comprit ce que David ne disait pas à voix haute. La ferme lui appartenait à lui, pas à elle. Il s'agissait aussi, en plus subtil, de lui rappeler qu'il ne désirait pas sa présence ici. Alors, tout en sachant qu'il vaudrait mieux le tenir à distance, son cœur manqua un battement à la seule idée de se retrouver seule avec lui. Les doigts de David lui paraissaient si doux sur sa peau qu'elle sentit sa résolution faiblir.

— C'est toi qui décides, bien entendu.

Les mots étaient à peine sortis de sa bouche que son cœur s'emballa.

— Parfait. C'est donc entendu.

Le pouce de David se promena sur son menton.

— Pourquoi ne pas partir plutôt cet après-midi ? suggéra-t-il. Le temps de faire nos bagages et d'arriver à Savannah, l'avion nous attendra déjà à l'aéroport.

Prise au dépourvu, Tanya le regarda fixement.

— Je ne sais pas, biaisa-t-elle, tandis qu'un picotement agréable courait le long de son épine dorsale, là où il l'avait touchée.

— Allons ! Nous passerons la nuit à Washington, dînerons agréablement. Tu te sentiras moins fatiguée si nous y sommes déjà.

L'idée était certes tentante. Elle n'aurait pas à se lever tôt, quand il ferait encore nuit, pour rouler jusqu'à Savannah.

— Bon, c'est d'accord, déclara-t-elle.

David enroula une de ses mèches autour de son doigt avant de la lâcher et d'annoncer :

— Je vais passer un coup de fil.

— Attends !

Il avait déjà tourné les talons, mais il revint rapidement sur ses pas et son regard croisa celui de Tanya, sourcils haussés.

— L'hôtel est déjà complet, dit-elle. Où vas-tu descendre ?

— Où as-tu retenu ?

Elle lui donna le nom d'un des hôtels les plus chic au cœur du district de Columbia. David hocha la tête.

— La plupart des hôtels réservent quelques chambres au cas où des clients connus ou de hautes personnalités viendraient en ville. Ne t'en fais pas. Je vais bien trouver une solution.

Le cœur battant d'impatience, Tanya le regarda s'éloigner.

Quelques heures plus tard, Tanya découvrit que, lorsque David prenait une décision, il agissait à la vitesse de la lumière ! Assise à côté de lui, alors que les rues de la petite ville de Cotton Creek défilaient, elle s'émerveilla des décorations et des illuminations qui annonçaient déjà Noël.

— J'adore cette époque de l'année, remarqua-t-elle, les yeux brillants d'excitation. Surtout la fête de Thanksgiving qui donne le coup d'envoi des festivités.

Son enthousiasme arracha un sourire à David.

— C'est déjà l'époque ?

Du plus loin que remontaient ses souvenirs et jusqu'au moment de son départ, il avait chaque année suivi la célébration de la fête dans les rues de la ville. Son esprit lui restitua en un éclair une image du passé et il se revit enfant attendant que sa mère lui achète un gâteau. Quelque chose se serra dans sa poitrine. Comme c'était curieux ! Il y avait des années qu'il n'y avait pas pensé.

Tanya hocha la tête.

— C'est jeudi prochain.

— Tu plaisantes !

Il arrivait à peine à y croire. Pourtant, son cœur tressaillit à l'idée d'y assister avec Tanya.

— Tu sais, je venais tous les ans y participer avant de partir à la fac.

Elle se tourna sur son siège pour le dévisager.

— Pour rencontrer des filles ? demanda-t-elle avec d'un air faussement sévère.

Le regard de David l'effleura avant de revenir se fixer sur la route.

— Cotton Creek n'est pas si grand. Avec un seul lycée, je connaissais déjà à peu près toutes les filles.

— Ah !

Leur conversation procurait à Tanya beaucoup de plaisir et elle n'avait pas envie d'y mettre fin. Pour la première fois depuis le retour de David, ils n'avaient pas de problème de communication !

— Atlanta ne te manque pas trop ? Et ce n'est pas trop un problème pour tes affaires maintenant que tu es à Cottonwood ? demanda-t-elle.

— Les choses s'arrangent maintenant que je suis relié à mon bureau par Internet. Justin West, le vice-président de Taylor Corporation, est plus que qualifié pour faire fonctionner la boîte sans moi. Mais il ne s'agit que d'un arrangement momentané.

David avait l'habitude d'une vie au rythme plus rapide. Mais il y avait quelques avantages tout de même à retrouver Cottonwood. Maintenant qu'il était revenu, il remarquait des petites choses. La nuit plus noire, par exemple. Et le calme. Plus de Klaxons, plus de voitures rapides, plus de pollution.

Il ne lui avait pas été difficile de se réadapter.

Tanya se mordilla la lèvre inférieure, certaine encore qu'il n'était pas content d'être revenu vivre à Cottonwood. Sa vie était à Atlanta. C'était un homme plein de confiance en lui et qui avait réussi. Elle devait même admettre en son for intérieur qu'il ne manquait pas de charme non plus. Il avait sûrement dû avoir quelqu'un dans sa vie.

— As-tu été marié ? ne put-elle se retenir de lui demander.

— Non, dit-il d'un ton uni, après l'avoir fixée.

Un silence tomba entre eux et Tanya digéra l'information, non sans avoir noté la crispation de sa mâchoire.

— Mais il y a sûrement eu quelqu'un en particulier ? reprit-elle un instant plus tard.

Une nouvelle fois, il tiqua.

— Il y a eu quelqu'un, à un moment, oui.

Malgré son désir de mettre un terme à ce genre de conversation, il ne put se retenir d'ajouter :

— Melanie et moi avons été fiancés, mais ça n'a pas marché.

— Tu penses toujours à elle ?

Il poussa un soupir rauque.

— Non, si je peux l'éviter.

— Que s'est-il passé ?

Il haussa les épaules.

— Je crois qu'elle était plus intéressée par mon argent que par moi-même.

Tanya ouvrit de grands yeux.

— Vraiment ? Comment l'as-tu découvert ?

— Par Justin. Melanie n'a pas pu s'empêcher de se confier à la petite amie de mon associé, un soir que nous étions sortis tous ensemble. Quand Justin m'a ensuite mis au courant, je l'ai traité de fou. Je me refusais à le croire, je pense. Mais j'avais confiance en Justin et je me suis mis à surveiller les dépenses de Melanie. Je lui avais offert une carte de crédit et il m'a été facile de contrôler les factures.

Il exhala un long soupir.

— Puis j'ai découvert qu'il y avait des mois qu'elle avait quitté son emploi. Cela n'avait pas d'importance à mes yeux, mais j'étais déçu qu'elle ne m'en ait pas soufflé mot. Quand j'ai abordé la question avec elle, Melanie m'a expliqué avec le plus grand calme qu'elle ne travaillerait jamais plus puisque je pouvais combler tous ses désirs. Alors je lui ai suggéré de retrouver un emploi et de mettre un frein à ses dépenses. Elle s'est mise en colère et nous nous sommes disputés. Elle a hurlé qu'elle allait se chercher un autre homme capable de lui apporter davantage sur le plan affectif…

David sentit les muscles de son estomac se contracter. Il ne risquait pas d'oublier la leçon apprise avec Melanie. Son regard se posa sur la femme assise à côté de lui. Avec Tanya, ce serait sans doute tout autre chose. Elle savait apaiser les blessures de son cœur et cela, il ne l'avait pas prévu.

— Elle devait être folle, murmura Tanya dont la gorge se noua en comprenant qu'elle avait parlé tout haut.

David lui jeta un coup d'œil surpris.

— Tu viens de me faire un compliment, je crois.

D'un geste impulsif, il lui prit la main.

— Et toi, alors ? demanda-t-il, pas très certain de vouloir le savoir.

A son contact, Tanya sentit tout son corps réagir et un frisson la parcourir des pieds à la tête.

— Je suis sortie avec quelques hommes, mais sans plus.

— Il n'y a pas trop de choix par ici.

Elle approuva de la tête.

— Pourtant, Cotton Creek est tellement charmant. Je n'arrive pas à m'imaginer vivant ailleurs. J'adore cet endroit.

David la regarda avec attention. Tanya ne savait rien de son passé, ignorait tout de sa famille ou de l'endroit d'où elle venait. Aussitôt sortie de sa misère affective, elle avait fait de Cotton Creek son foyer. Elle s'y était accrochée comme si chacun de ses souffles en dépendait. C'est ce qu'elle avait sous-entendu quand elle avait affirmé qu'elle ne s'en éloignait jamais. C'était la raison pour laquelle elle s'était tellement mise en colère lorsque David lui avait proposé de quitter Cottonwood, le seul foyer qu'elle ait jamais connu.

A quoi avait-il donc pensé ? David grinça des dents. Il l'en avait presque dépouillée. Il jura tout bas. Il s'était tellement laissé emporter par sa propre peine qu'il n'avait même pas songé à celle qu'il infligeait à Tanya.

Moins d'une heure plus tard, comme ils prenaient la route menant à l'aéroport, David lui demanda :

— Es-tu déjà allée à Savannah ?

— Seulement pour une balade d'une journée, et toi ?

— C'est là que j'allais quand je cherchais des filles.

Tanya émit un léger rire. David la trouva encore plus belle ainsi.

— Veux-tu jeter un coup d'œil sur la ville ? Je te ferai faire un petit tour sur le chemin de l'aéroport.

Les yeux de Tanya s'illuminèrent.

— On a le temps ?

Il consulta sa montre.

— Nous avons quelques minutes.

Au virage suivant, il prit la direction du centre historique de la ville. Ils passèrent devant une magnifique demeure, une sorte de manoir, en brique rouge avec un balcon en fer forgé. Tanya considéra la pelouse soignée et les arbustes fleuris et exubérants qui bordaient le chemin.

— Quelle splendide demeure ! murmura-t-elle avec un coup d'œil circulaire.

David approuva et lui désigna ensuite une maison de style Régence. Remarquant son intérêt, il demanda :

— Aimerais-tu revenir faire une visite par ici ? Peut-être te balader dans River Street ?

Il éprouvait le désir subit d'être le seul à lui faire admirer la ville.

Tanya hocha la tête.

— Oui, beaucoup.

Ils s'entendaient si bien maintenant, songea-t-elle. Elle savourait sa compagnie. Peut-être même un peu trop. Pour la première fois depuis son retour, Tanya avait l'impression que leur relation se transformait et, en dépit de sa crainte toujours présente d'être blessée, elle désirait sa présence auprès d'elle.

Elle remarqua le panneau de signalisation d'une rue et se retourna sur son siège pour le regarder, sourcils froncés, puis examina la rue bordée d'arbres. David ralentit quelques rues plus loin. Il venait de tourner dans Park Street, lorsqu'il l'entendit pousser une sourde exclamation.

— Ça va ? demanda-t-il, cherchant son regard.

— Oui…

Mais, en dépit de son affirmation, elle avait pris ses tempes entre ses mains.

— Que se passe-t-il ?

— C'est stupide. Je viens d'éprouver une sensation de déjà-vu.

— Vraiment ?

— Ce n'est rien, dit-elle, car elle regrettait déjà ses paroles. La plupart des gens ont souvent des sensations étranges. Cela ne t'est jamais arrivé ?

— Si.

Mais jamais il n'avait réagi comme elle, songea-t-elle. Sur son visage planait quelque chose qui ressemblait à de l'angoisse. Il passa le bras sur le dos de son siège et lui caressa les épaules.

— Tu es certaine que tout va bien ?

Elle hocha la tête et montra du doigt l'horloge de bord.

— Nous ferions bien d'y aller. Inutile d'être en retard.

Mais, sans cesser de parler, elle se tordit sur son siège pour continuer à suivre des yeux le paysage à l'arrière de la voiture. Ensuite, ils longèrent un parc aux arbres centenaires.

— C'est Forsyth Park, indiqua David conscient de son intérêt.

Tanya fronça les sourcils.

— Forsyth Park ? répéta-t-elle d'une voix calme.

David hocha la tête. L'expression étrange de Tanya le poussa à l'interroger.

— Tu en as déjà entendu du parler ?

Elle haussa les sourcils.

— Je ne crois pas.

Ce qui ne l'empêcha pas de se retourner une fois de plus pour continuer à regarder par la vitre arrière. Elle en ignorait la raison, mais ce parc lui avait paru familier. Elle jeta un coup d'œil à David qui l'observait.

— Tout va très bien, le rassura-t-elle.

David s'engagea dans une rue en pente, puis une autre.

— L'une de ces rues mène à l'aéroport, dit-il.

— C'est par là, affirma Tanya en lui faisant signe de tourner.

David prit le virage, puis son regard revint se poser sur sa compagne.

— Comment le savais-tu ?

Elle haussa les épaules.

— Je l'ignore. J'ai dû apercevoir un panneau ou quelque chose comme ça.

David se rembrunit mais poursuivit sa route. Tanya se renfonça dans son siège, fronçant les sourcils. Elle savait très bien qu'elle n'avait vu aucun panneau.

Comme prévu, le jet privé de David les attendait à leur arrivée à l'aéroport de Savannah. Tanya jeta un coup d'œil inquiet sur le petit appareil, mais elle s'installa dans un siège sans dire un mot. Au moment où les moteurs se mettaient à rugir, ses doigts se contractèrent sur les accoudoirs. Elle jeta un coup d'œil à David.

— Ne t'inquiète pas, lui dit-il en lui prenant la main. Je t'ai dit que je ne laisserai rien t'arriver. Détends-toi.

Se détendre ? Comment était-ce possible quand il lui tenait la main ? se demanda-t-elle. Mais du coup, au lieu de se faire du souci pour le vol, Tanya se concentra sur le plaisir de la compagnie de David. La crainte inspirée par ce baptême de l'air n'était rien comparée à celle qu'elle ressentait quand elle se demandait jusqu'où pouvait aller leur relation. Elle s'était dit ce matin que David regrettait sûrement leur baiser de la nuit dernière. Pourtant, il donnait l'impression de rechercher tous les moyens de la toucher.

— A quoi penses-tu ?

Le regard émerveillé de Tanya au moment où l'avion décollait convainquit David qu'il avait bien fait de l'emmener avec lui. Il désirait revoir ce même regard lorsqu'il lui ferait l'amour. Pour l'instant, il était heureux de l'observer.

— C'est étonnant, souffla-t-elle. Totalement stupéfiant !

— Regarde, lui dit-il en pointant du doigt au-dessous d'eux une grande étendue d'eau.

Tanya se pencha pour mieux voir et ses seins effleurèrent la poitrine de David qui retint son souffle.

— C'est beau, dit-elle.

— C'est toi qui es belle.

Tanya tourna la tête pour le regarder. Les yeux de David avaient pris une teinte bleu sombre. A cet instant, Tanya se sentit le souffle court. La main de David se posa sur sa nuque et un picotement la parcourut tout entière. Son regard effleura la bouche de David et elle s'humecta les lèvres. Il allait l'embrasser, elle en était convaincue, et elle se laisserait faire.

Les lèvres de David frôlèrent les siennes avec douceur, puis sa bouche s'empara de la sienne avec autorité, taquine, tentatrice, et l'explora avec une torturante douceur. Quand le baiser de David s'approfondit, Tanya poussa un petit soupir de plaisir. Il faufila sa langue dans sa bouche, affronta la sienne, puis s'échappa, la laissant inassouvie. Quand ensuite la main de David remonta le long de sa cage thoracique vers ses seins, Tanya ressentit un plaisir intense et doux. Le désir la parcourut comme une flamme. Quelque part, au plus profond de sa féminité, un feu couvait. Elle voulut se coller contre David et se rendit compte qu'elle était retenue par sa ceinture et qu'un accoudoir les séparait. Elle s'écarta, battit des paupières et fixa David.

— Bon sang, marmonna celui-ci, brisant la tension. A l'avenir, il faudra que je pense à agir au bon moment.

Tanya sentit son visage s'empourprer et ses lèvres esquissèrent un sourire. Elle se rejeta sur son siège et essaya de reprendre contenance.

6.

La majeure partie de la journée s'était déjà écoulée quand l'avion atterrit. David et Tanya remirent à plus tard le tour des lieux et ils gagnèrent en taxi leur destination, un hôtel magnifique dans un quartier élégant. Avec son dallage de marbre et ses hautes colonnes, le hall de réception ne donnait qu'une faible idée du luxe de l'établissement. David accompagna Tanya à sa chambre. En entrant, la jeune femme parcourut la pièce du regard et elle retint son souffle. Une moquette bleu marine formait un contraste saisissant avec les murs jaune pâle. A peine étaient-ils entrés qu'on frappa à la porte. David ouvrit au groom qui apportait les bagages. Il lui tendit un billet et se retourna vers Tanya.

— Désires-tu dîner tôt ?

Elle approuva de la tête et lui laissa le choix du restaurant. Ils se mirent d'accord sur l'heure du rendez-vous et elle le raccompagna à la porte.

Après le départ de David, Tanya ouvrit sa valise et déballa ses affaires de toilette. Dans la salle de bains, elle se rafraîchit avant d'enfiler la seule robe qu'elle ait emportée avec elle, une robe de soie rouge qu'elle avait portée lors du dernier Noël. Elle enfila des escarpins noirs à talons et attacha autour de son cou un collier en diamant. Elle souleva le pendentif et le regarda pensivement. Edward le lui avait offert à son dernier anniversaire. Ses yeux se mouillèrent et elle refoula ses larmes. Parfois, le chagrin la submergeait de manière inopinée. Elle se gourmanda. Edward ne voudrait pas la voir triste. Il n'avait pas été homme, autant qu'elle ait pu le savoir, à s'appesantir sur ses sentiments. Pourtant, il était difficile de ne pas pleurer quand elle pensait à lui et Tanya se demanda si David pleurait son père à sa manière. Il ne lui avait pas encore parlé de lui. Ce n'était pas vraiment bizarre, songea-t-elle, si elle considérait l'étrangeté de leurs relations.

On frappa à la porte et elle saisit rapidement son écharpe qu'elle jeta autour de ses épaules avant d'aller ouvrir.

— Je suis prête, dit-elle.

Le regard de David parcourut sa silhouette d'un air appréciateur. Sa robe rouge épousait ses formes et mettait en valeur ses courbes délicieuses. David eut envie de repousser Tanya à l'intérieur de la pièce et de lui arracher ce tissu écarlate.

— Tu es superbe, se contenta-t-il de déclarer.

— Où allons-nous dîner ? demanda Tanya en prenant son sac sur son lit.

David lui nomma un restaurant connu, pas très loin de l'hôtel.

— Veux-tu prendre un taxi ou marcher ? proposa-t-il.

— Marchons, répondit-elle. Il fait beau, et j'aimerais voir autre chose que l'intérieur de l'hôtel.

Ils gagnèrent l'établissement, coincé entre un bar et une boîte de nuit à la mode. Une fois installés, une serveuse prit leur commande de boissons et s'éclipsa.

— C'est joli ici, remarqua Tanya en considérant la bougie allumée entre eux. Tu y es déjà venu ?

David hocha la tête.

— Une fois ou deux. Te sens-tu prête pour demain ?

Le bras posé sur la table, Tanya se pencha vers lui.

— Je crois, oui. J'ai relu mes notes. Il y aura pas mal d'intervenants, et je ne disposerai que de quelques minutes.

Elle ne paraissait pas nerveuse. Pourtant, David se demanda une fois encore si elle savait dans quoi elle s'engageait.

— Est-ce la première fois qu'ils tiennent ce genre de meeting ? demanda-t-il.

Elle secoua la tête.

— Non, mais en général c'est ton père qui y assistait. Ces deux dernières années, il m'avait demandé d'y aller, mais j'ai préféré rester à la maison.

Quand elle fit mention d'Edward, Tanya vit les épaules de David se tendre. Elle changea de sujet. Ils s'entendaient si bien qu'elle ne voulait rien dire ni faire qui puisse affecter le temps qu'ils passeraient ensemble. Pendant le dîner, la conversation roula sur son travail sur la plantation, puis une nouvelle fois ils abordèrent la réunion du lendemain. Tanya leva les yeux de ses lasagnes et surprit le regard de David posé sur elle.

— Que se passe-t-il ? J'ai de la sauce sur les lèvres ou quoi ? s'enquit-elle.

— Tes lèvres sont parfaites.

C'était la pure vérité, songea David, plus désireux que jamais d'y goûter de nouveau.

Il s'efforça de ne plus penser à faire l'amour avec elle et reprit :

— J'étais en train de constater à quel point tu avais changé depuis le jour où je t'ai vue pour la première fois à mon retour de l'université et que je t'ai trouvée installée à Cottonwood.

Tanya frissonna.

— Ne me le rappelle pas. Je me demande ce qui m'était passé par la tête de me teindre les cheveux en rouge. Il m'a fallu tout l'été et plusieurs coupes pour arriver à m'en débarrasser.

— Tu avais l'air très punk, dit-il. Je dois quand même admettre que tu m'attirais terriblement.

— Ah oui ?

Et dire qu'elle n'en avait rien soupçonné ! Cet été-là, elle avait tout fait pour se trouver à proximité immédiate de David, mais il s'était comporté comme si elle était transparente.

— A en juger par ta surprise, je crois que j'ai dû t'adresser le mauvais signal quand je t'ai embrassée, dit-il.

Tanya ne lui avait pas avoué que son baiser était resté gravé dans sa mémoire et qu'elle était déjà à moitié amoureuse de lui lorsqu'il était parti. En fait, c'était à cause de David si elle n'avait jamais eu une véritable relation avec un autre homme.

— J'ai cru que tu me détestais. Tu étais tellement furieux, ce jour-là !

David haussa un sourcil.

— Te détester ? Tu plaisantes ? Je te désirais, Tanya !

La jeune femme se couvrit le visage de ses mains. Au bout d'un moment, elle retrouva le courage de le regarder.

— Je n'ai jamais oublié le jour où tu es parti.

Leurs regards se croisèrent et elle rougit.

— Tu m'as supplié de rester.

— J'étais tellement bête à cette époque.

David tendit la main à travers la table et s'empara de la sienne.

— Tu étais un peu naïve, pas bête.

A son contact, Tanya sentit une flamme chaude courir sur sa peau et elle soupira.

— Je désirais tellement que tu restes.

— Je sais, dit-il, d'une voix basse et maîtrisée. Mais c'était impossible. Mon père et moi ne nous sommes jamais entendus. Je pensais que ce serait encore plus difficile pour lui si je restais.

— Pourquoi ? demanda Tanya, curieuse de comprendre ce qui avait creusé entre eux un tel gouffre.

Du bout des doigts, il caressa la paume de sa main.

— Mon père et moi n'avons jamais pu tomber d'accord.

— Jamais ?

— Jamais.

Le regard de David se perdit dans le vide.

— Pourtant, cela ne s'est pas toujours passé ainsi. Je me souviens quand j'étais jeune et que ma mère vivait encore, mon père était un homme très différent alors.

— De quelle manière ? s'enquit Tanya.

— Nous étions heureux tous les trois. Ma mère piquait toujours une crise quand mon père me prenait sur ses genoux sur le tracteur. Elle craignait toujours qu'il m'arrive quelque chose.

David éclata de rire en se remémorant ces moments. Il y avait très longtemps qu'il ne les avait pas évoqués et ce souvenir était doux-amer.

— Elle nous courait après et nous faisions semblant d'être des voleurs poursuivis par la police.

Tanya sourit.

— Que s'est-il passé pour que vous perdiez cette intimité ?

— La mort de ma mère, répondit David.

Ses yeux s'emplirent de tristesse.

— Quand elle a disparu, mon père a été anéanti. Tout d'un coup, il est devenu quelqu'un que je ne connaissais pas, et il m'a retranché de sa vie.

La surprise arrondit la bouche de Tanya.

— Mon Dieu ! Tu avais quoi, douze ans ?

Un muscle joua dans la mâchoire de David.

— Dix ans. Je ne m'attends pas à ce que tu me croies, mais longtemps, j'ai essayé de me rapprocher de lui. Pourtant, rien de ce que je faisais ne lui plaisait. Alors, j'ai fini par penser que si je quittais la maison, si je réussissais, il finirait par reconnaître mes qualités. J'ai travaillé avec acharnement, j'ai créé une société et gagné beaucoup d'argent. Mais tout ce qu'il a su dire c'est que j'aurais dû rester à la plantation.

— Tu m'en vois désolée, compatit Tanya en secouant la tête. Tu me décris là un homme que je ne connaissais pas.

Maintenant qu'elle y réfléchissait, elle se souvenait de certains traits de caractère d'Edward. Chaque fois qu'elle avait tenté de lui parler de David, il s'était fermé comme une huître et avait refusé d'en discuter.

— Il lui arrivait d'être têtu, mais à la fin, il s'était beaucoup radouci, ajouta-t-elle.

David termina son vin.

— Je suis reconnaissant qu'il t'ait eue dans sa vie, Tanya.

A ces mots, la jeune femme refoula les larmes qui menaçaient une nouvelle fois de couler. David avait dû être un enfant si solitaire ! Pour la première fois de son existence, elle sentit monter en elle de la colère contre Edward. Comment avait-il pu traiter son fils avec une telle insensibilité ?

— T'es-tu jamais demandé ce qu'il serait arrivé si tu étais resté, David ? lui demanda-t-elle. N'as-tu aucun regret ?

David secoua la tête.

— Si j'étais resté, nous aurions fini par nous haïr, admit-il avec calme. Et cela, je ne le voulais pas.

Tanya était stupéfaite. Elle avait tellement cru que David avait voulu partir à cause d'*elle,* alors que son seul objectif avait été la sauvegarde de ses relations avec son père !

— Oh, David, dit-elle d'une voix douce. Je suis tellement désolée.

Il venait de lui révéler une part de lui-même qu'elle ignorait. Pendant des années, elle l'avait cru insensible et égoïste. Il n'avait pas bronché lorsqu'elle l'avait accusé de ne pas s'occuper de son père. Il n'avait pas dit un mot pour se défendre ni pour justifier ses actes. Mais, à la fin, son départ n'avait rien modifié dans les relations entre le père et le fils, tout simplement parce que les deux hommes ne voyaient pas les événements du même œil.

Au moment où ils quittèrent le restaurant, l'air frais de la nuit fit frissonner Tanya. David lui proposa sa veste et, sans lui laisser le temps répondre, s'en dépouilla et lui en enveloppa les épaules. Puis, au lieu de la lâcher, il l'attira contre lui. Quand sa bouche s'abaissa vers la sienne, elle ne songea même pas à protester. Son baiser, tissé de promesses, mit en éveil chaque nerf de son corps.

— Tu as un goût délicieux, murmura-t-il en relevant la tête.

Tanya était incapable de parler. Son cœur battait à grands coups tandis qu'ils marchaient en silence vers l'hôtel. Tanya ne retrouva sa voix qu'une fois dans l'ascenseur.

— Je suis heureuse que tu m'aies proposé d'arriver plus tôt à Washington, remarqua-t-elle.

David l'enlaça.

— Viens boire un verre dans ma suite, offrit-il.

Cinq années auparavant, il l'avait fuie. Ce soir, songea David, il ne referait pas la même erreur. Tanya, elle, ne douta pas une seconde de ce que voulait David. Elle savait ce qui arriverait si elle acceptait de le suivre. Mais elle ne pouvait refuser, car elle aussi désirait la même chose.

— D'accord, souffla-t-elle.

Elle s'humecta les lèvres et leva les yeux vers lui. Il l'observait. En fait, quelque chose se contracta dans sa poitrine et une sensation de brûlure s'installa dans le bas de son ventre quand il la vit passer sa langue sur ses lèvres. Il mourait d'envie de la toucher, mais il savait que, s'il le faisait, il ne pourrait pas s'empêcher de l'embrasser encore. Quand Tanya était près de lui, sa maîtrise de lui-même s'évaporait et cela lui faisait peur.

Pas suffisamment toutefois pour laisser filer l'occasion. Aussi, quand l'ascenseur atteignit l'étage supérieur, David entraîna Tanya vers sa chambre.

— C'est magnifique, s'exclama-t-elle, en examinant le côté salon de la suite.

La pièce était plus grande et beaucoup plus luxueuse que sa propre chambre. La vue qu'on avait des fenêtres sur la ville était superbe et romantique. On voyait scintiller ses lumières sur des kilomètres. David s'avança derrière la jeune femme et lui retira sa veste des épaules. Il lui baisa doucement la nuque avant de s'écarter.

— Que désires-tu boire ? demanda-t-il. Il y a un mini-bar ou je peux demander quelque chose au service d'étage...

Frissonnante, Tanya secoua la tête. Alors, incapable de résister à la tentation, David la prit dans ses bras. Les lèvres de Tanya étaient douces et attirantes. Elle lui rendit son baiser et sa langue chercha la sienne, ce qui mit le feu au désir qu'il avait d'elle. Tanya se rapprocha de lui et pressa son corps tiède contre celui de David. Il lui mordilla les lèvres.

Tanya poussa un profond soupir. David s'éloigna un peu d'elle.

— Il faut que je te demande quelque chose, dit-il.

Elle ouvrit de grands yeux interrogateurs.

— Quoi donc ?

— Ce matin, tu m'as affirmé que c'était une erreur d'avoir presque fait l'amour hier soir.

— Je m'en souviens, murmura-t-elle, la gorge nouée.

— J'ai besoin de savoir si tu le penses toujours.

Tanya ne répondit pas. Elle préféra se jeter dans ses bras et plaquer son corps contre le sien. Ses mains remontèrent le long de son torse. Elle avait attendu ce jour, ce moment, si longtemps qu'il n'était pas question de le laisser s'échapper, Même si, en cet instant, elle jouait avec le feu, peu lui importait. Seule comptait cette minute avec lui.

David lui prit la bouche et le désir explosa en elle. Elle n'était pas préparée à cela, pas plus qu'à la brûlure de ses lèvres. Elle l'avait désiré depuis la première fois où son regard s'était posé sur lui et elle n'avait pas l'intention de le repousser plus longtemps. Quoi qu'il puisse se passer à l'avenir, elle s'en arrangerait. Pour l'instant, elle ne souhaitait qu'une chose : faire l'amour avec David.

Il l'étreignit plus fort. Elle respira l'odeur épicée de son eau de toilette. Sa langue, chaude, exigeante, envahit sa bouche et joua avec la sienne, disparaissant et réapparaissant comme par magie. Jamais baiser n'avait contenu tant de promesses. Le corps de Tanya commença à se mouvoir contre celui de David. Il leva la tête et la regarda. Sans prononcer un mot, il fit tomber les minuscules épaulettes de sa robe le long de ses épaules. Ses mains caressèrent la peau nue et passèrent dans son dos pour dégrafer la robe. Celles de Tanya s'occupèrent de lui déboutonner sa chemise et de la faire glisser de ses épaules. Quelques secondes plus tard, sa robe tomba en flaque sur la moquette. Elle se tenait maintenant devant lui, presque nue dans l'air frais qui la faisait frissonner. Elle n'avait pas peur, elle n'hésitait plus. La faim qu'elle avait de lui balayait tout.

David s'écarta un peu et son regard la parcourut, s'arrêta sur ses seins, puis leurs yeux se croisèrent. Sous le regard scrutateur, elle sentit son visage s'empourprer.

— Je crois que nous serions mieux nus tous les deux pour le sexe, dit Tanya, un léger sourire au coin des lèvres.

Le sexe ? Le mot n'aurait pas dû gêner David. Ce fut pourtant le cas. Mais la pensée fut vite repoussée, car il vit ses mamelons se resserrer sous son soutien-gorge. Le désir d'elle durcit aussitôt son corps.

— Ce n'est pas obligatoire, mais ce serait sacrément mieux, répondit-il.

Tanya laissa échapper un son étouffé au moment où David se mit en devoir de défaire sa ceinture. Il la tenait sous son regard, comme s'il la défiait de détourner le sien. Là, elle le surprit en passant les mains derrière son dos pour dégrafer son soutien-gorge. Ses seins se balancèrent légèrement en émergeant de leur cocon. David sentit sa bouche se dessécher. Oubliant qu'il était encore à demi habillé, il l'attira contre lui. Il ne désirait pas l'effrayer mais, en cette minute, il était incapable de s'empêcher de la toucher. Il tendit la main et, d'un seul doigt, lui caressa la pointe d'un sein. Tanya baissa les paupières et, une seconde, David crut qu'elle allait tomber. Mais elle rouvrit les yeux et le regarda prendre ses seins au creux de ses paumes. Il commença alors une lente caresse érotique et, quand Tanya vacilla, David l'enleva entre ses bras et se dirigea vers le lit où il la déposa. Ensuite, il se débarrassa de ce qu'il lui restait de vêtements. Il se retourna vers Tanya qui lui tendait les bras. Ses yeux, brûlants de désir, le suppliaient de la rejoindre. Un minuscule chiffon de dentelle la couvrait encore. D'un doigt recourbé sous l'élastique qui lui ceinturait les hanches, il tira doucement le slip le long de ses jambes et le laissa glisser le long des chevilles déliées.

Ensuite, il fut dans ses bras.

Le corps de David allongé sur le sien, Tanya soupira d'aise. Comme si elles étaient mues par une volonté propre, ses hanches se plaquèrent aux siennes. La main de David se posa sur son sein, puis le rapprocha de sa bouche. Tanya l'observait et l'attente du contact de ses lèvres lui parut presque insupportable. Au lieu de prendre le sein dans sa bouche, David en caressa la pointe du bout de la langue. Sous l'intensité de son plaisir, Tanya crut qu'elle allait mourir. Le désir la saisit si vite qu'elle se tordit sous lui. Elle lui saisit les cheveux et lui abaissa un peu plus la tête vers elle. Il l'en remercia en pressant son autre sein. Des vagues puissantes de désir submergèrent Tanya et elle poussa un cri.

David n'avait jamais ressenti un tel sentiment d'urgence avec une autre femme. Il n'avait pas non plus attendu de Tanya une réaction aussi passionnée. Il la chevaucha et se frotta contre la partie la plus intime de son corps. Elle rejeta la tête en arrière et se cambra sous lui.

— David, soupira-t-elle.

Elle se mordit la lèvre, et lutta pour rester maîtresse d'elle-même, tant le désir la prenait de vitesse. Mais, presque aussitôt, son corps se mit à trembler.

— Je t'en prie, supplia-t-elle pour qu'il la pénètre.

Penché sur elle, David s'empara de sa bouche. Sa langue joua avec celle de Tanya pendant que sa main se faufilait entre ses jambes. Il poussa un grognement, puis laissa fuser un soupir.

— Attends un peu, chérie, dit-il d'une voix rauque.

Il saisit le préservatif qu'il avait laissé sur la table de nuit en ôtant son pantalon, puis s'allongea de nouveau sur elle. Il se cala entre ses jambes. Ensuite, lentement, il se poussa en elle, mais elle était si étroite qu'il ne parvint pas à la pénétrer.

Il abaissa son regard vers elle. Elle avait les yeux fermés, le visage empourpré et elle respirait très vite. Sans changer de position, David lui prit le visage entre les mains.

— Doucement, murmura-t-il, comme elle continuait à soulever ses hanches contre les siennes.

Il déposa un baiser sur sa bouche.

— Tanya, chérie, regarde-moi.

Quand elle eut obtempéré, il demanda, sans cesser de se contrôler :

— Mon cœur, es-tu vierge ?

La question parut rendre à Tanya un peu de cohérence et elle fronça légèrement les sourcils.

— Quoi ?

Mais elle avait déjà compris. Ses yeux s'agrandirent.

— Je ne sais pas, dit-elle tranquillement.

Une angoisse la saisit. Elle remua les hanches et sentit la barrière qui empêchait David de la pénétrer. L'union de leurs deux corps était si intime, si intense qu'elle ne s'était pas un seul instant sentie mal à l'aise.

— Je crois bien, oui, chuchota-t-elle.

Aussitôt, David commença à se retirer mais elle lui glissa les bras autour de la taille pour le retenir.

— Non, je t'en prie, ne t'en va pas.

Elle ne voulait pas supplier, lui montrer à quel point elle le désirait, mais elle ne pouvait pas le laisser s'en aller ainsi.

— Le moment n'est peut-être pas venu, murmura David en lui donnant un baiser léger sur les lèvres.

Tanya n'avait jamais connu d'homme. Il serait le premier, et le savoir lui serra le cœur. Il voulait tant être le seul avec qui elle ferait jamais l'amour !

Tanya poussa un long soupir puis, doucement, souleva les hanches et les plaqua contre son bas-ventre.

— Tu ne veux pas dire que tu ne me désires pas, n'est-ce pas ? Je n'ai peut-être pas d'expérience, mais je peux affirmer que tu es excité.

David éclata de rire puis l'embrassa comme un affamé.

— Je te désire plus que tu ne peux l'imaginer mais, ma chérie, je ne veux pas te faire mal.

— Alors, ne me laisse pas, dit-elle en lui agrippant les épaules. Fais-moi l'amour, David.

David retint un instant son souffle puis lui baisa farouchement la bouche. Quand elle commença à bouger sous lui, un grondement lui échappa. Il abandonna les lèvres de Tanya et murmura :

— Allons-y doucement.

Contenant son propre désir, il commença à bouger en elle, à la pénétrer à petits coups pour se faire une place jusqu'à être tout près de plonger complètement en elle. L'étreinte de Tanya sur ses épaules se resserra et ses doigts s'enfoncèrent dans sa chair. Comme si elle avait deviné son hésitation, elle lui ceintura la taille de ses jambes pour l'encourager. Cette fois, David poussa plus fort et d'un seul coup l'emplit totalement. Elle émit un léger cri et il s'immobilisa, se retint, le temps que le corps de Tanya s'ajuste au sien. Il prit son temps, l'embrassa, la caressa et la tint contre lui jusqu'au moment où elle commença à perdre son contrôle. Tanya ferma les yeux et se cambra. Ses hanches se mirent à onduler de concert avec celles de David. Il s'enfonça plus loin en elle, les mains sous sa croupe, et le feu qui avait commencé à s'allumer dans le corps de Tanya commença à échapper à sa maîtrise. Un gémissement monta du fond de sa gorge, et David sentit le corps de la jeune femme se resserrer autour de lui. Sa propre libération monta, de palier en palier, et il glissa à son tour dans le néant lumineux de l'extase.

7.

Tout était tranquille dans la pièce, hormis le bruit rapide de leur respiration. La poitrine de Tanya se gonfla de bonheur. Elle comprit à cet instant qu'elle avait donné son corps et son cœur à David et qu'il serait pour toujours l'homme de sa vie.

Elle lui caressa le dos. Elle aimait la sensation de sa peau sous ses doigts. Il émit un léger grognement et, dressé sur ses coudes, la contempla. Quand leurs yeux se croisèrent, elle lui sourit.

— Alors, c'est ce que tu fais d'habitude pour séduire les filles ?

Il se mit à rire et l'embrassa sur la bouche.

— Tu es étonnante.

— Tu n'étais pas mal non plus, répliqua-t-elle.

David réfréna sa respiration et s'efforça de récupérer un semblant de contrôle de lui-même. Faire l'amour avec Tanya l'avait bouleversé. Plus que jamais, il savait son cœur en danger. Mais, en dépit des signaux d'avertissements qu'il recevait en son for intérieur, il désirait davantage encore d'elle.

— Tu vas bien ? lui demanda-t-il.

Le regard de Tanya erra sur sa bouche.

— Maintenant, oui.

Elle se passa la langue sur les lèvres, y retrouva le goût de David et tout son corps frémit. Elle ferma les yeux et revécut l'instant sans le moindre regret. Pendant cinq longues années depuis ses dix-sept ans, elle avait attendu le jour où David la prendrait dans ses bras pour lui faire l'amour. Son désir d'être aimée de lui était indéniable. Ne l'aimait-elle pas déjà depuis si longtemps ? Même si, au fond de son cœur, elle mourait d'envie de se l'entendre dire, elle ne s'était pas attendue à entendre David lui affirmer un indéfectible amour. Pour l'instant, elle était satisfaite d'être avec lui et il n'était pas question de laisser quoi que ce soit gâcher son bonheur.

David haussa un sourcil.

— Tu en es certaine ?

Elle hocha la tête.

— Je crois que j'ai besoin de prendre une petite douche, dit-elle, le visage soudain écarlate.

David lui effleura la bouche puis se redressa au-dessus d'elle. Il croisa son regard.

— Reste comme ça.

Il roula sur lui-même, se leva et resta debout à côté du lit. Il contempla Tanya et il sentit un tiraillement dans son bas-ventre. Il la désirait encore. Maintenant. Mais il savait que c'était encore trop tôt pour elle.

— Je reviens dans une minute, dit-il.

Il gagna la salle de bains, se rafraîchit puis tourna le robinet de la douche. L'eau mit quelques secondes à se réchauffer. Il tempéra la chaleur et, un instant plus tard, regagna la chambre. Sans lui laisser le temps de protester, il enleva Tanya dans ses bras.

— Que…

— Chut, dit-il en l'emportant dans la salle de bains.

Il la remit debout, entra dans la baignoire puis attira Tanya vers lui. Elle fit mine de protester puis se tut, l'eau tiède et la vapeur l'environnant. David l'installa juste sous le pommeau de la douche.

— Mmm, murmura-t-elle, ça fait du bien.

Elle le regarda en silence appuyer sur le flacon de gel et en déposer au creux de ses paumes. Puis il commença à la laver, en commençant par les épaules, avant de descendre le long de son corps jusqu'aux cuisses. La sensation si intime de ses mains sur elle déclencha un nouveau feu au cœur de sa féminité. Tanya serra les dents.

— Je peux le faire, tu sais, lui dit-elle, attendant qu'il s'arrête avant de perdre la tête et de le supplier de lui faire tout autre chose.

David lui adressa une drôle de petite grimace.

— Je voulais être sûr que tu allais bien.

— Nous avons couché ensemble, David. Je suis un peu délicate, mais cela ne fait pas de moi une invalide.

Du sexe. Encore ce mot ! David serra les dents.

— C'était quand même ta première fois.

Soudain, il se renfrogna. Quand on avait amené Tanya à Cottonwood, on avait informé son père qu'elle était une jeune délinquante. Si elle avait fréquenté des milieux mal famés, comment avait-elle pu rester vierge ? Cela ne correspondait pas du tout à son image de fille des rues.

Tanya faillit lui répondre qu'elle allait très bien, mais il continuait à la savonner et il commença à la caresser entre les jambes, apaisant son désir.

— Comment te sens-tu ? demanda-t-il.

— Comme quelqu'un qui a encore envie de faire l'amour avec toi.

— C'est trop tôt, dit-il en lui effleurant la bouche d'un baiser.

— Je vais très bien, affirma-t-elle avec un petit sourire. Tu pensais que cela ne marcherait pas ?

D'un doigt, il lui releva le menton et examina son visage à travers la vapeur d'eau.

— Je voulais en être certain.

Quand il en eut terminé avec elle, il la plaça sous le jet pour qu'elle puisse se rincer. Il commença à se laver lui-même et Tanya sortit de la douche pour se sécher. Elle n'avait pas terminé que David fermait la douche et surgissait à côté d'elle.

— Attends, dit-il. Laisse-moi faire.

Il lui prit la serviette des mains et lui fit signe de s'asseoir sur le rebord de la baignoire pour pouvoir lui sécher les cheveux. Quand il eut terminé, elle prit quelques minutes pour les démêler. Puis elle regagna la chambre, une serviette nouée autour des seins. David avait ouvert le lit.

— Ce soir, nous dormirons dans ma chambre, lui dit-il, le regard fixé sur elle.

Tanya sentit ses joues s'enflammer.

— Oh ! s'exclama-t-elle.

Ainsi, il avait deviné qu'elle ne voudrait pas retourner dans sa propre chambre. A tout autre moment, Tanya aurait résisté à sa façon de prendre les choses en main et de trouver normal qu'elle passe la nuit avec lui. Elle ne discuta pas. A la seule idée de dormir entre ses bras, son cœur battit la chamade. En outre, elle avait faim de lui. Elle ne s'attendait pas à ce que leur relation dure. Quand il la quitterait, quand il quitterait Cottonwood, elle souffrirait. Alors elle désirait de toutes ses forces chaque instant qu'elle pourrait passer avec lui.

David s'éveilla en sursaut et comprit immédiatement que quelque chose n'allait pas. A côté de lui, Tanya se tordait en tous sens dans son sommeil. Il l'attira dans ses bras et essaya de la calmer. Sa poitrine se soulevait péniblement dans sa lutte pour parvenir à respirer. Enfin, elle poussa un cri et ouvrit les yeux.

— Tout va bien, chérie, assura David d'une voix douce afin de la calmer.

Elle avait fait un cauchemar, c'était sûr. Mais, à sa grande surprise, Tanya éclata en larmes. Un instant, David resta stupéfait en se demandant si elle souffrait. D'un rapide mouvement de tête elle l'assura du contraire. Il l'enveloppa de ses bras.

— Chut, mon cœur. Tout va bien. Je veillerai à ce qu'il ne t'arrive rien de mal.

Tanya renifla, chercha à recouvrer son sang-froid. Mais il lui fallut quelques minutes encore avant de pouvoir parler.

— David, dit-elle d'une voix qui tremblait, j'ai fait le rêve le plus étrange. Je ne peux pas tout décrire, mais il m'a paru tellement réel !

— De quoi diable parles-tu ? grommela-t-il.

Il se sentait à la fois inquiet et impuissant.

Tanya respira profondément.

— Je n'en suis pas très certaine. J'étais dans cette maison, mais le plus étrange était que je croyais y être déjà venue. Il y avait une fête, un anniversaire, je crois.

— Ce n'était qu'un rêve, chérie, dit David dans l'espoir de la calmer. Ne le laisse pas te perturber ainsi.

— Non, c'était plus que cela, David. C'était comme si je faisais partie de la scène. Cela ressemblait à une vision, enfin, quelque chose dans ce genre.

David resserra son étreinte. Malgré son désir de la réconforter, il était sceptique pour tout ce qui avait trait au surnaturel.

— Ce n'était rien, j'en suis certain, affirma-t-il.

Il alluma la lumière.

— Respire à fond. Tu te sentiras mieux.

La lumière la fit cligner des yeux et elle se frotta les paupières avant de concentrer son regard sur son compagnon.

— Je n'invente rien.

— Je n'ai rien dit de…

Tanya s'assit et étendit la main devant elle, paume ouverte.

— Ecoute-moi…

Tanya n'avait jamais parlé à quiconque de ses autres rêves ou des étranges événements qui s'étaient passés dernièrement. Mais elle avait vraiment envie de s'en ouvrir à David pour qu'il l'aide à faire le point sur ce qu'il lui arrivait.

— Ce n'est pas la première fois, commença-t-elle. Ces temps-ci, j'ai eu plusieurs de ces rêves étranges et chacun devient plus vivant que le précédent. Dans celui-ci, je me suis vue à l'intérieur de cette maison mais le plus bizarre est que je n'avais pas l'impression d'y être une étrangère.

David s'assit à son tour et lui prit la main.

— Raconte-moi tout.

Alors, Tanya lui parla de tous ses rêves et de celui en particulier avec cette fille inconnue qu'elle avait eu cette même nuit. Elle lui raconta les étranges sensations qui l'assaillaient pour de simples choses. Par exemple, la curieuse impression qu'elle avait ressentie devant la photo du sénateur Danforth ou de savoir quelle direction prendre sur la route de l'aéroport. Enfin, elle termina son récit en reconnaissant qu'elle avait le sentiment d'être déjà allée se promener dans Forsyth Park.

— Pourquoi ? s'écria-t-elle à la fin de son récit. Tout cela va me rendre folle.

— Je l'ignore, répondit David.

Il secoua la tête, essayant de trouver un sens à tout ce qu'elle lui avait dit. Il n'avait jamais cru aux rêves et à leur supposée signification. Maintenant, il n'en était plus aussi certain. Tanya était encore tremblante et il se demanda quand même s'il ne lui arrivait pas quelque chose d'inhabituel. Il scruta ses traits et, soudain, une explication s'imposa à lui, lumineuse.

— L'amnésie ! dit-il d'une voix douce, pour ne pas la traumatiser. Peut-être, et ce n'est qu'une simple hypothèse, peut-être que ta mémoire est en train de revenir…

Tanya eut un vertige.

— Oh, mon Dieu, David. Tu as peut-être raison, s'exclama-t-elle d'une voix qui montait dans l'aigu. Ces rêves singuliers, le sentiment de connaître certains endroits de Savannah et même ici, à Washington !

David lui caressa le visage et s'efforça de la calmer.

— Ne t'emballe pas trop.

Mais, à son expression animée, il comprit qu'il était déjà trop tard.

— Non, non, tu as raison, s'exclama-t-elle, les yeux agrandis. C'est la seule explication. Sûrement la seule !

— Une conclusion logique peut-être, mais tout n'est peut-être pas aussi simple, Tanya. Il peut y avoir des tas d'autres raisons. Je ne voudrais pas encourager tes espoirs pour une simple coïncidence.

David réfléchit un instant sur la possibilité d'un retour de sa mémoire puis, égoïstement, en conclut que ce ne serait pas forcément une bonne chose. Que se passerait-il entre eux si cela arrivait ? Tanya avait eu une vie avant d'arriver à Cottonwood et, d'après ce qu'il savait de son passé, elle n'avait pas été si douce que cela. Qu'arriverait-il si elle était reprise par son ancienne existence ?

Lorsqu'il était revenu à Cottonwood au moment de la mort de son père, David avait voulu se débarrasser de Tanya, et il aurait fait n'importe quoi pour que cela arrive. Maintenant, la seule idée de la perdre le préoccupait beaucoup plus qu'il ne voulait l'admettre.

— Pas de conclusions hâtives, déclara-t-il avec fermeté. Je veux que tu fasses un bilan de santé complet à notre retour à la maison.

La maison ? Tanya battit des paupières. A la manière dont il avait prononcé le mot, elle se demanda s'il ne commençait pas à considérer la ferme comme son foyer. Ce serait trop demander.

Mais David avait raison : elle avait besoin d'un examen médical. Cette pensée la dégrisa et lui fit un peu peur. Qu'arriverait-il si la personne qu'elle avait été ne lui plaisait pas ? Pire encore, si David ne l'aimait pas ? Elle avait un passé tourmenté. Elle avait dû avoir une vie fruste, peut-être même violente. Le retour de sa mémoire devrait-il lui faire perdre ce qui commençait à peine avec David ?

Tanya reposait dans les bras de David, la tête posée sur sa poitrine. Etre blottie contre lui paraissait tellement naturel qu'elle ne parvenait pas à regrouper assez de forces pour s'écarter de son corps. Il lui avait encore fait l'amour en utilisant cette fois toute l'habileté de ses mains et de sa bouche pour l'amener à l'orgasme. Il lui avait murmuré qu'elle n'était pas encore prête pour quelque chose de plus fort. Elle avait protesté, proclamé qu'elle était en parfaite forme, mais il était resté inflexible et lui avait montré d'autres moyens de profiter de leur intimité. Toutefois, ce qu'elle avait déjà partagé avec lui était merveilleux et gratifiant pour Tanya. Elle avait utilisé les mêmes techniques pour explorer le corps de David et, quand ils en eurent enfin terminé, ils étaient aussi épuisés l'un que l'autre.

L'expérience de l'amour physique avait été merveilleuse pour Tanya, mais elle l'avait aussi forcée à affronter la réalité. Elle en réfléchissait d'autant plus à ce qu'allait devenir leur relation. En dehors du fait d'avoir entamé une relation physique, rien entre eux n'avait réellement changé. En outre, elle était amoureuse de lui.

Le croyant endormi, elle s'étira puis commença à s'écarter de lui. Aussitôt, une main se referma sur sa hanche et la retint. Tanya leva les yeux vers David et lui sourit.

— Je croyais que tu dormais, murmura-t-elle.

Il ne répondit pas mais revendiqua ses lèvres pour un long et grisant baiser.

— Où vas-tu ? demanda-t-il ensuite.

— Je dois commencer à me préparer, répondit-elle. La réunion commence dans deux heures.

— Prépare-toi ici avec moi, dit David qui refusait de la voir s'éloigner.

— Ce n'est pas possible. Mes vêtements sont dans ma chambre, expliqua-t-elle.

Ils se levèrent en même temps et, debout devant lui, Tanya s'étonna de n'avoir aucune inhibition à se montrer nue. Elle parcourut du regard le corps de David et sa gorge se noua sous l'émotion. Son amour s'était renforcé de l'intimité qu'elle avait partagée avec lui.

— Si tu veux, dit-elle, je vais prendre ma douche d'abord et tu prendras la tienne ensuite, quand je m'habillerai.

Elle contourna le lit et se dirigea vers David qui l'attira vers lui et prit ses seins au creux de ses mains.

— Allons nous doucher ensemble.

Tanya s'humecta les lèvres et le regarda.

— J'ai la vague impression qu'il ne s'agit pas seulement de se laver, murmura-t-elle.

Puis elle ferma les yeux car il commençait à lui couvrir le cou de baisers. Il lui fallut toute sa force de volonté pour s'arracher à ses bras.

— Je ne veux pas être en retard, dit-elle.

David lui adressa un sourire lascif.

— Tu as raison.

Tanya décrocha la robe qu'elle avait portée pour aller dîner et se dirigea vers la salle de bains. David suivit du regard le balancement de ses hanches jusqu'au moment où elle ferma la porte derrière elle.

Environ un quart d'heure plus tard, Tanya sortit tout habillée de la salle de bains. Ses cheveux blonds étaient coiffés avec soin.

— Je vais dans ma chambre finir de me préparer, l'informa-t-elle, en enfilant ses chaussures.

Elle jeta un coup d'œil autour d'elle, à la recherche de son soutien-gorge et de son slip. Ils n'étaient nulle part en vue. Plutôt que de se mettre à les chercher, elle pensa qu'elle les récupérerait plus tard. Au moment où elle se dirigeait vers la porte, David l'arrêta et l'attira contre son corps durci. Sa bouche se posa sur la sienne dans un baiser si possessif qu'elle eut l'impression de planer.

— Je te retrouve dans quelques minutes, chuchota-t-elle quand enfin, il la laissa aller.

Au moment où David entrait à son tour dans la douche, une angoisse le saisit, impalpable, mais toujours la même. Il savait qu'elle avait un rapport avec l'amnésie de Tanya et qu'en dépit de son avertissement de ne pas trop s'emballer, la mémoire lui revenait. Plutôt que d'en être content pour Tanya, il s'inquiétait des répercussions possibles. Si Tanya se rappelait véritablement son passé, il ne voulait pas qu'elle soit déçue ou perturbée par ce qu'elle apprendrait. Même s'il doutait de la longévité de leur relation, il n'était pas prêt à la perdre et à la voir retourner vers son ancienne vie.

— Te sens-tu prête ? demanda David un peu plus tard, en attendant le début de la réunion.

Certains des fermiers présents, lui avait-elle expliqué, avaient déjà une expérience de la culture du soja et d'autres ne seraient là que pour s'informer. Il pensait avoir eu une assez bonne idée de ce qui l'attendait quand elle l'avait informé qu'elle comptait prendre la parole à cette réunion.

Apparemment, il avait sous-estimé l'ampleur de la conférence. Il secoua la tête. La salle, réservée dans l'un des meilleurs hôtels du district de Columbia, était remplie de centaines de gens. A une extrémité de la pièce, une rangée de tables séparait le groupe des personnalités des autres assistants, assis en face d'eux dans des fauteuils.

— Je suis tout à fait prête, lui répondit Tanya avec un regard confiant.

Avec un sourire poli, elle tourna son attention vers l'orateur, l'air de faire un effort pour saisir ce qu'il disait par-dessus les murmures de la salle, car ils étaient assis au fond.

— La prochaine fois, c'est ton tour, dit David.

— Je sais, répondit-elle sans le regarder.

En dépit de son assurance affichée, il se demanda si elle savait vraiment où elle allait. Malgré son évidente connaissance de la culture du soja, il doutait de sa capacité à s'exprimer devant une audience aussi vaste et impressionnante. Il ne voulait pas la voir humiliée ou embarrassée. Lorsqu'ils étaient descendus de leur chambre à l'hôtel, il lui avait offert une fois encore de la remplacer, mais elle avait aussitôt refusé. Elle était tout à fait capable de le faire, avait-elle affirmé. Pourtant, en regardant autour de lui, David ne put se retenir d'avoir peur pour elle. Une fois de plus, il voulut lui proposer de prendre la parole à sa place, mais il craignit de miner sa confiance. Ses sentiments à son égard changeaient sans cesse depuis son retour à Cottonwood, et avoir fait l'amour avec elle n'avait réussi qu'à accroître son désarroi. Il ne pouvait toutefois nier un point : il commençait à se sentir très proche d'elle — trop même pour la sécurité de son cœur.

— Es-tu nerveuse ? lui demanda-t-il.

Elle lui fit les gros yeux.

— Chut ! Non, je ne suis pas nerveuse. Quand je serai là-haut, je n'aurai qu'à t'imaginer tout nu, répliqua-t-elle avec un sourire taquin.

David se pencha tout contre son oreille.

— Alors ne regarde pas vers moi, chuchota-t-il, sinon je pourrais bien aller te chercher sur l'estrade et t'emmener sur mon épaule jusqu'à ma chambre !

Tanya se contenta de sortir un bout de langue et de le passer le long de ses lèvres avec un sourire coquin. Puis elle reporta son attention vers l'extrémité de la salle, tandis que David sentait sa température monter de quelques bons degrés. Il s'obligea à concentrer son attention sur le podium plutôt que sur les modifications de son anatomie et il écouta pendant quelques minutes un homme répondre à la question d'un des sénateurs. Pris au dépourvu et manquant d'expérience, il balbutia une réponse maladroite. David en conçut davantage d'inquiétude pour Tanya et lui toucha le bras.

— Es-tu vraiment certaine de ne pas vouloir me céder ta place ?

Tanya se tourna vers lui et lui décocha un regard patient.

— Ne te fais pas de souci, je sais ce que je fais.

David n'eut pas le temps d'en dire plus. Le nom de Tanya fut appelé et elle se leva pour se diriger vers le devant de la salle. Elle s'installa sur le podium et se présenta. David n'arrivait pas à la quitter des yeux. Puis elle commença à parler et un silence tomba sur la salle. David regarda autour de lui. L'attention de tous les participants s'était tournée vers Tanya. Elle commença à parler avec éloquence et d'un ton ferme. David écouta chaque mot et fut impressionné par sa manière d'expliquer son point de vue. Calme et confiante, elle répondit question après question aux représentants du gouvernement. Ses réponses étaient concises, formulées avec soin et convaincantes. David la fixait et la tête lui tournait. Il avait rencontré bien des femmes sorties de grandes écoles capables de s'exprimer ainsi. Mais elle, où avait-elle appris l'art de parler en public ? A moins qu'il ne s'agisse d'un don inné ? Sachant d'où elle venait, il n'y comprenait plus rien.

Tanya descendit du podium sous les applaudissements nourris de l'assistance. Elle revint se glisser à sa place, un sourire satisfait et reconnaissant aux lèvres. Encore ébahi, David lui prit la main et entrelaça ses doigts avec les siens Il croisa le regard des yeux d'ambre, brillants et pleins d'énergie.

— Tu as été incroyable !

Le mot était bien sûr inadéquat pour ce que David désirait réellement exprimer. Il eut honte soudain d'avoir douté d'elle. Avec sa connaissance de la culture du soja, elle s'était montrée bien plus efficace qu'il n'aurait jamais pu l'être.

— Les membres du Congrès t'ont pratiquement mangé dans la main, lui souffla-t-il.

Elle haussa les épaules.

— Je crois avoir fait passer mon point de vue. Tout au moins, je l'espère.

— Ma douce, je les ai observés. Tu as fait mille fois mieux que ça. Il était clair à voir leur expression que tu les as vraiment impressionnés et convaincus.

Il hésita.

— Bon sang, moi aussi, je suis impressionné, admit-il, tandis qu'ils attendaient l'orateur suivant.

Tanya lui adressa un sourire indulgent.

— Tu as cru que j'allais me planter.

— Pas exactement, mais je l'avoue, je m'inquiétais. Maintenant, je m'aperçois que je m'étais trompé. Tanya, tu t'es débrouillée bien mieux que bien des gens qui ont appris à parler en public. Où as-tu appris, toi ?

Heureuse du compliment, Tanya battit des paupières. En réalité, elle ne s'était jamais demandé pourquoi elle n'hésitait pas à prendre la parole.

— Je l'ignore, dit-elle. Je sais ce que je veux dire. J'aime à penser que je ne suis pas facilement intimidée.

Elle avait raison, David le savait. Il lui avait donné bien du fil à retordre depuis son retour à Cottonwood et, chaque fois, elle lui avait tenu tête. Sa capacité à parler en public à des professionnels venait-elle de son ancienne vie ? Il en doutait, car cela ne correspondait pas du tout avec ce qu'elle avait été dans son adolescence. David était en train d'apprendre que la personnalité de Tanya comportait un grand nombre de facettes. Il admirait et respectait bien des choses en elle. Elle était attentionnée et elle avait été d'une farouche loyauté envers son père. Chaque jour, elle le surprenait par son intelligence et son assurance. Jamais il n'avait rencontré une femme aussi désirable et intéressante.

Alors, pour la première fois, il se demanda s'il se satisferait d'une simple aventure avec elle.

8.

— A ton avis, qu'est-il arrivé au sénateur Danforth ?

Tanya fronça les sourcils.

— Je l'ignore. Mais j'ai été déçue de ne pas le voir à la réunion, répondit-elle à David en lui caressant lentement le bras.

Ils étaient couchés et bavardaient. La réunion s'était terminée un peu plus tôt que prévu, aussi, après avoir rapporté les affaires de Tanya dans sa chambre, ils étaient revenus dans celle de David et prévoyaient d'aller faire une balade au zoo. En fait, ce projet était tombé à l'eau quand David avait pris Tanya entre ses bras et l'avait embrassée comme un affamé. La jeune femme avait tout oublié tandis qu'ils se déshabillaient mutuellement. Ils s'étaient écroulés sur le lit et, cette fois, David ne s'était pas retenu. Il avait adoré son corps et, quand elle était devenue presque folle de désir, il avait plongé en elle et lui avait fait l'amour jusqu'à ce qu'elle crie son nom.

Maintenant, épuisés, ils reposaient dans les bras l'un de l'autre et échangeaient des caresses languides. Tanya se s'était jamais sentie aussi heureuse.

— J'ai été déçue de ne pas le rencontrer, poursuivit-elle. J'ai trouvé son absence assez étrange, mais je ne peux pas exactement dire pourquoi je le ressens comme ça. Tout se passe comme si sa présence avait une réelle signification pour moi.

Tu vois, quelque chose de plus fort que la simple défense de la culture du soja.

— Je suis certain que ce qui l'a retenu devait être important. Sans doute y avait-il un rapport avec son siège au Sénat, remarqua David.

Les yeux de Tanya brillaient et David se demanda si cela venait de son succès à la conférence ou bien d'avoir fait l'amour avec lui. Elle bâilla et se lova contre lui.

— Probablement.

David lui sourit. S'il parvenait à récupérer toute son énergie, il comptait bien lui faire encore l'amour. Alors qu'au début, elle était un peu timorée, elle s'était très vite accoutumée à le toucher et à répondre avec empressement à ses caresses qui l'emmenaient jusqu'à l'orgasme. Elle était impatiente d'en apprendre plus et de prendre sa part de leurs ébats. Tanya était étonnement passionnée et David avait beaucoup de mal à maîtriser ses sentiments pour elle. Il s'était imaginé qu'après avoir fait l'amour avec elle, il parviendrait à la chasser de son esprit. En réalité, il s'était passé le contraire. Il ne pensait plus qu'à elle et il avait même songé à quoi ressemblerait sa vie s'il demeurait à Cottonwood…

Il n'était pas certain d'en être capable. Le souvenir de son père lui faisait encore mal. Il était dur de ne pas associer Cottonwood avec ses années de déception et de chagrin. Il désirait en ce temps-là rester à la plantation pour y travailler au côté de son père. Maintenant que son père était parti et que David pouvait s'y installer, il avait une affaire florissante à Atlanta, et une autre existence, loin de la ferme.

« Mais Tanya appartient à Cottonwood », chuchota une petite voix tout au fond de lui. Quand le moment serait venu de s'en aller, aurait-il la force de la laisser derrière lui ?

*
* *

Quant, tard dans l'après-midi, l'avion amorça sa descente vers l'aéroport de Savannah, Tanya resta silencieuse sur son siège. Au moment où David et elle se préparaient à quitter Washington, toutes les incertitudes de leur relation s'étaient emparées de son esprit. Si elle était amoureuse de lui, les sentiments de David à son égard étaient moins discernables et elle s'inquiétait de ce qu'il en adviendrait après leur retour chez eux.

En retrouvant la plantation et les mauvais souvenirs de sa relation avec son père, David s'éloignerait-il d'elle ? A Washington, ils s'étaient retrouvés loin de tout ce qui pouvait leur rappeler Edward et son testament qui forçait David à réintégrer la plantation. Que ressentirait-il pour elle lorsqu'il se rappellerait la clause concernant Tanya ? Lui en voudrait-il toujours de diriger la plantation ?

Il ne l'aimait pas, elle le savait, mais il la désirait. Alors elle pouvait seulement prier pour que ce désir se transforme en amour pour donner une chance à leur relation.

Tanya se tourna vers David et laissa échapper un soupir. Elle ignorait tout à fait ce qu'il adviendrait d'eux, mais elle était impuissante à protéger son cœur. Elle l'aimait avec une telle intensité ! Pourtant, elle retint les mots car elle savait que c'était une erreur de les prononcer. David ne l'aimait pas... il l'aimait bien, il la désirait... mais il n'éprouvait pas d'amour pour elle. Il était inutile de compliquer les choses entre eux. Etait-il possible quand même qu'un jour elle puisse signifier autre chose à ses yeux ?

Il leur restait un peu plus de onze mois à vivre ensemble. Leur relation avait rapidement évolué. Une semaine auparavant, elle était persuadée qu'il la détestait, et maintenant, ils étaient amants. L'espoir emplit soudain son cœur. Elle allait adorer les mois qui se profilaient devant eux, adorer être à ses côtés.

Peut-être même qu'un jour il tomberait amoureux d'elle...

* * *

En regagnant Cottonwood, Tanya ressentit un sentiment de bien-être. A bien y repenser, elle trouvait sot de sa part d'avoir eu si peur de quitter la ferme. Ce n'était pas parce qu'il lui était arrivé un jour quelque chose de tragique que cela devait recommencer. Mais elle était vraiment heureuse de rentrer à la maison.

David descendit de voiture en même temps qu'elle et ouvrit le coffre. Ce fut seulement en montant les marches que Tanya commença à éprouver une légère inquiétude. David s'arrêta en bas du perron, posa par terre ses propres affaires et la suivit vers sa chambre où il plaça ses valises dans un coin de la pièce. Ils n'avaient pas encore parlé des changements intervenus dans leurs relations et Tanya se demanda à quoi il pensait.

Elle n'aurait pas dû se faire de souci. Il l'attira contre lui, l'embrassa avec avidité avant de l'informer qu'il allait ranger ses affaires. Retenant son souffle, mais réconfortée, Tanya le regarda s'en aller. Après avoir vidé ses valises, elle gagna le bureau pour examiner le courrier. Avant leur départ, le partage de la pièce leur avait posé des problèmes et elle s'efforçait d'accomplir ses tâches en son absence. Aujourd'hui, pourtant, elle l'aperçut en entrant et lui sourit.

— Je pensais appeler le médecin pour prendre rendez-vous, annonça-t-elle.

David leva les yeux.

— Qui est ton médecin ?

— Je suis allée voir plusieurs fois le Dr Brewer, le médecin de ton père. Je n'ai pas eu souvent de raisons de consulter depuis que je suis ici. En dehors de mon amnésie, je suis en très bonne santé.

— As-tu été sérieusement examinée depuis que tu habites à Cottonwood ?

— Quand on m'a trouvée, on m'a fait subir un tas d'examens, mais je n'ai vu aucune raison de continuer puisque tout allait bien.

— Alors, j'aimerais t'emmener à Atlanta.

— Atlanta ? répéta-t-elle, sourcils froncés. Pourquoi donc ? Il existe sûrement des médecins que je pourrais aller consulter à Cotton Creek.

— J'en suis certain. Mais tu aurais peut-être du mal à obtenir un rendez-vous rapide. Je viens juste d'avoir Justin au téléphone. Il a besoin de moi au bureau pour un petit problème et je dois faire un petit saut à Atlanta pour en discuter. Tu pourrais m'accompagner. J'ai un ami neurologue. J'aimerais que tu le voies.

Le regard de Tanya s'emplit d'inquiétude.

— Pourquoi aurais-je besoin d'un spécialiste ?

David se leva et contourna le bureau pour la prendre dans ses bras. Il l'embrassa et la regarda droit dans les yeux.

— Tu dois être examinée par un spécialiste des traumatismes crâniens. En pensant à ce qui t'est arrivé, je pense qu'il est essentiel que tu consultes quelqu'un dès maintenant. Tu pourrais avoir besoin de passer quelques examens. Nous pourrons faire cela en un ou deux jours à Atlanta. Ici, il faudra plusieurs semaines.

L'argument était valable. De plus, Tanya était assez curieuse de la vie qu'il menait à Atlanta. L'accompagner là-bas lui donnerait l'occasion d'en savoir un peu plus. Pourtant, elle hésita. Elle avait attendu avec impatience de passer Thanksgiving avec lui. Il y aurait la fête en ville. Elle ne voulait surtout pas la manquer.

— Quand partirions-nous ? s'enquit-elle.

David la rapprocha de lui.

— Demain matin.

— Si vite ? Je viens juste de défaire mes bagages, grogna-t-elle.

Devant l'air déterminé de David, elle céda.

— Très bien, je viendrai avec toi. Mais il faut me promettre que nous serons revenus pour Thanksgiving. Je veux aller à la fête.

— Je te le promets, murmura-t-il en se rapprochant encore d'elle avec une intention évidente.

Tanya ouvrit de grands yeux.

— David !

Elle jeta un coup d'œil en direction de la porte restée ouverte.

— On pourrait nous voir, s'exclama-t-elle, les joues en feu.

— Il suffit de fermer cette porte, répondit-il d'une voix rauque en l'embrassant dans le cou.

Soulagée de constater que le désir de David n'avait pas faibli, Tanya alla fermer la porte. Alors, fous d'impatience, ils se dépouillèrent de leurs vêtements et se rejoignirent avec une hâte brûlante. La bouche de David prit celle de Tanya et l'emporta dans de grisants baisers. Il s'arrangea en même temps pour l'entraîner vers le canapé où il l'allongea sur le dos. Leurs corps se soudèrent et bougèrent ensemble jusqu'à ce que David la pénètre d'une seule et dure poussée. Tanya lui referma les jambes autour de la taille et se souleva contre lui pour mieux atteindre le plaisir ultime. Soudain, leurs corps frémirent et s'abandonnèrent à l'extase, celle de David suivant de quelques secondes celle de Tanya. Après, tandis qu'ils reposaient dans les bras l'un de l'autre, Tanya comprit que, pour elle, il n'y aurait jamais aucun homme autre que David.

Devant eux s'étendait le panorama d'Atlanta, tandis que le jet de la Taylor Corporation descendait vers la piste et atterrissait sur le tarmac. Tanya commençait à se sentir de plus en plus mal à l'aise à l'idée de se trouver à Atlanta, mais si on lui en avait demandé la raison, elle aurait été incapable de le dire. Un pressentiment désagréable l'avait envahi. Au moment où les roues de l'appareil crissèrent pour s'arrêter, David lui prit la main. Elle lui sourit avec l'espoir qu'il ne remarquerait pas son trouble.

Quelques instants plus tard, elle ouvrit de grands yeux en descendant la passerelle pour quitter l'avion. Une voiture noire étincelante vint se garer à proximité. Le conducteur, un bel homme, vêtu avec élégance, en descendit et fit le tour du véhicule. Il paraissait avoir à peu près l'âge de David, peut-être un peu plus âgé, mais il était plus grand et son ossature était plus mince. Son costume sombre moulait de larges épaules et soulignait ses hanches étroites. Il n'y avait qu'un mot pour le qualifier : il était splendide. C'était le genre d'homme que Tanya aurait tout de suite remarqué si elle n'était pas déjà éprise de David.

Il les accueillit avec un grand sourire.

— Bienvenue à Atlanta, dit-il à Tanya en lui prenant la main.

Dès ses premiers mots, Tanya comprit qu'elle allait bien aimer Justin. Le regard de David passa de l'un à l'autre et il ressentit un pincement de jalousie. Justin et lui étaient amis depuis très longtemps et il savait combien de femmes étaient déjà passées dans la vie de son associé. Si Justin ne flirtait pas avec Tanya, il en était diablement proche, se dit-il. D'un geste possessif, il s'empara du bras de la jeune femme et fit les présentations.

— C'est un plaisir de faire votre connaissance, déclara Justin.

Il adressa un regard appuyé à David puis revint vers Tanya.

— David m'avait parlé de votre beauté, ajouta-t-il d'un ton sincère, mais à mon avis, le mot ne vous rend pas justice.

Tanya lui sourit et le remercia, non sans glisser un regard en coin à David. Ainsi, il avait parlé d'elle à Justin ?

Tous trois s'installèrent dans la voiture et, aussitôt, David et Justin parlèrent affaires.

— Tu as rendez-vous au bureau dans une heure avec Delgado, déclara Justin à son ami. Je te préviens, c'est un coriace.

Ils continuèrent à s'entretenir et, tout en les écoutant, Tanya se rendit compte que diriger sa société depuis Cottonwood n'avait sûrement pas été facile pour David. De toute évidence, il était habitué à traiter ses affaires en personne. Au cours de sa conversation avec Justin, tout son comportement, remarqua-t-elle, s'était modifié et Tanya se demanda à quel point l'univers qu'il avait créé de ses propres mains lui avait manqué. Il vivait par obligation à la plantation mais, après avoir fait l'amour avec lui, elle avait espéré qu'il pourrait y être heureux.

Mais était-ce une véritable option pour lui ? Même s'il avait paru s'intéresser aux travaux de la plantation, c'était sans doute par besoin d'en savoir un peu plus sur son héritage que par pur intérêt personnel. Découragée par ces pensées, Tanya regarda à travers la vitre défiler le paysage. Elle s'illusionnait si elle s'imaginait qu'il viendrait un jour s'installer définitivement à la plantation.

La voiture ralentit et vint s'arrêter dans un garage souterrain. Tanya suivit les deux hommes à l'intérieur d'un immense et impressionnant bâtiment.

— J'ai aussi appelé Lucas, dit Justin.

Il regarda Tanya et il ajouta :

— Lucas Avery est un de nos amis. Il pratique la médecine ici en ville.

— Qu'a-t-il dit ? s'enquit David en appuyant sur le bouton de l'ascenseur.

— Il a réservé un moment dans son agenda pour Tanya aujourd'hui à 14 heures.

Justin se tourna vers Tanya.

— Cela vous convient-il ? Pendant que David ira à son rendez-vous avec Delgado, je vous emmènerai chez Lucas.

Il s'interrompit un instant avant de poursuivre :

— J'espère que cela ne vous ennuie pas que David m'ait parlé de votre amnésie ?

Tanya secoua la tête et le remercia d'avoir pris le rendez-vous. Elle regrettait seulement de ne pas être accompagnée par David quand elle verrait le médecin.

Les portes de l'ascenseur s'ouvrirent avec un doux chuintement. Tanya suivit les deux hommes le long d'un couloir de marbre beige, David échangea quelques mots avec plusieurs personnes avant de s'arrêter devant un bureau occupé par une femme d'une trentaine d'années. Avec son abondante chevelure sombre et ses yeux d'un bleu de ciel d'été, elle avait un visage saisissant, songea Tanya comme David faisait les présentations.

— Jessica, dit-il, voici Tanya Winters. Pourriez-vous l'emmener dans mon appartement ?

Il se retourna vers Tanya et expliqua :

— Il y a une pièce à l'extérieur du bureau où tu seras beaucoup mieux pour m'attendre. J'ai quelques questions à régler avec Justin avant mon rendez-vous. Jess va s'occuper de toi. Si tu as besoin de quelque chose, fais-le-lui savoir.

Tanya regarda s'éloigner les deux hommes puis son regard revint vers Jessica. David lui avait donné un diminutif et Tanya se demanda si sa familiarité découlait de son travail avec elle ou bien d'une relation plus personnelle. Avec un sourire manquant un peu de chaleur, la jeune femme sortit une clé de son bureau.

— Venez, je vous en prie, dit-elle d'un ton très professionnel, c'est par ici.

Elle contourna son bureau et emmena Tanya le long d'un couloir avant de s'arrêter devant une porte close qu'elle ouvrit avec la clé.

— Après vous, dit-elle.

Le regard de Tanya fit le tour de la petite pièce. Un immense canapé occupait pratiquement toute la longueur d'un mur. Il y avait aussi une table basse, un fauteuil inclinable et c'était à peu près tout. Jessica montra une autre porte du doigt.

— Il y a une salle de bains par là si vous en avez besoin. Et ici, cette porte mène au bureau de David. Surtout ne le dérangez pas, s'il vous plaît.

Ses paroles s'accompagnèrent d'un sourire poli mais, à l'évidence, elle avait adopté un comportement impersonnel. Son avertissement non formulé ne fut pas perdu pour Tanya. Cette femme ne l'aimait pas. Pourquoi ? Se pouvait-il que David et elle aient eu une relation intime ?

— Vous avez de quoi lire sur la table, poursuivit Jessica. Si vous désirez une tasse de café ou une autre boisson, servez-vous.

Elle traversa la pièce et appuya sur un bouton presque invisible sur le papier mural. Deux portes que Tanya n'avait pas encore remarquées s'effacèrent dans les murs et Tanya aperçut un bar bien fourni. Une nouvelle fois, elle ne put se retenir de se poser des questions sur l'aisance avec laquelle se comportait Jessica dans la pièce. La connaissait-elle si bien parce que David et elle avaient dérobé ici quelques instants d'intimité partagée ? A imaginer David avec cette femme, son estomac se serra. Il n'était pas question cependant de laisser deviner ses émotions.

— Je m'en tirerai très bien, répondit-elle, impatiente de se retrouver seule.

Jessica se dirigea vers le bureau.

— Si vous avez besoin de quelque chose, veuillez appuyer sur le bouton de l'Interphone, l'informa-t-elle en désignant l'appareil.

Tanya la regarda s'en aller puis se mit à marcher dans la pièce pour tenter d'avoir un aperçu de la vie de David à Atlanta. Il n'y avait pas grand-chose ici à analyser. La salle de bains impeccable ne lui fournit aucun indice. Dans la pièce suivante, elle entendit la voix assourdie de David à travers le mur. Il parlait avec Justin, mais il était impossible de distinguer leurs paroles. Une fois de plus, Tanya s'étonna de la taille de l'entreprise. Rien que dans ses bureaux, il devait y avoir au moins une trentaine d'employés. Le sentiment d'inquiétude qui s'était emparé d'elle à son arrivée à Atlanta se renforça soudain. La vie de David était ici, à Atlanta, et non à Cottonwood. Elle s'illusionnait si elle s'imaginait qu'il pouvait y avoir quelque chose de permanent dans la relation qui s'était établie entre eux. Si David consacrait tout son temps à la plantation, c'était parce qu'il ne pouvait faire autrement. Leur intimité n'avait rien changé et, hélas, ne le ferait jamais. Découragée, Tanya s'assit sur le canapé et commença à feuilleter un magazine. Au bout d'une trentaine de minutes, elle entendit s'ouvrir la porte menant au bureau de David et Justin pénétra dans la pièce.

— Hello, lança-t-il. Je suppose que vous devez vous ennuyer à mourir ?

Elle lui sourit.

— Attendre ne me dérange pas.

— Eh bien, David est en ce moment avec Delgado et je suis chargé de m'occuper de vous. Si vous êtes prête, je vais vous escorter jusqu'à vos appartements.

Tanya ramassa son sac et le suivit. Justin fit un effort pour la mettre à l'aise pendant le trajet jusqu'à sa voiture.

— David devrait pouvoir se libérer vers l'heure du dîner, l'informa-t-il. Il va être retenu plus longtemps que prévu.

— C'est parfait. Je sais que votre temps est précieux. J'aurais pu prendre un taxi ou tout autre moyen de transport.

Justin lui lança un coup d'œil sceptique en garant la voiture devant le cabinet du médecin.

— Vous plaisantez ? J'ai ordre de ne pas vous perdre de vue un seul instant.

Surprise, Tanya le regarda.

— Je suis tout à fait capable de me débrouiller toute seule.

— J'en suis certain. Je ne fais que suivre les instructions de David.

— Avez-vous aussi l'habitude de distraire les femmes à sa place ? demanda-t-elle avant d'avoir pu se retenir.

— Presque, répondit-il en lui adressant un sourire éclatant. David est un bourreau de travail. Il n'a aucune vie personnelle. Je ne compte pas le nombre de fois où j'ai tenté de lui mettre une femme sous le nez, mais il trouve toujours une excuse pour ne pas accepter.

— Oh !

— Je n'irai pas jusqu'à affirmer qu'il vit comme un moine, corrigea-t-il. Mais je ne l'ai jamais vu s'engager avec une femme comme il le fait avec vous.

Tanya rougit jusqu'à la racine des cheveux.

— Il n'y a rien entre nous, rectifia-t-elle un peu trop rapidement.

— Si vous le dites, répondit Justin.

Mais il était clair qu'il n'en croyait rien. Du coup, Tanya se crut obligée d'insister.

— Il n'y a rien.

Justin lui toucha le bras.

— D'accord.

Mais la manière dont ses yeux brillaient ne put échapper à Tanya.

— Vous ne me croyez pas.

Tanya ne voulait pas reconnaître sa relation intime avec David et il n'y avait donc pas grand-chose de plus à dire. Mais les paroles de Justin ravivèrent ses pires craintes. David ne s'engageait avec personne. En tout cas pas sur le plan affectif.

Pourquoi en serait-il autrement avec elle… ?

9.

— La voici. Je te la rends en parfaite condition comme promis, annonça Justin.

Ils venaient d'arriver au bureau de David.

Tanya lança un regard moqueur à Justin et lui toucha le bras dans un geste de sympathie.

— Merci, dit-elle.

Au cours de l'après-midi qu'ils avaient passé ensemble, elle avait appris à mieux connaître l'ami et associé de David. Il était aussi adorable que bel homme.

— Ce fut un plaisir, madame, répliqua-t-il avec un clin d'œil.

David les écoutait plaisanter sans sourire. Son attention était fixée sur la main de Tanya posée sur le bras de Justin. Peut-être n'aurait-il pas dû demander à son ami d'escorter Tanya ? Ils avaient l'air de s'entendre un tout petit peu trop bien, ces deux-là. Il desserra un peu son col de chemise. A quoi avait-il pensé en les mettant en présence l'un de l'autre ? Justin n'avait aucun problème pour attirer les femmes, il le savait pourtant bien.

— Où diable étiez-vous donc passés ? demanda-t-il, un œil sur sa montre. Il y a six heures que vous êtes partis.

Son ton était sec. Justin haussa les sourcils.

— Eh bien, nous sommes allés boire quelques verres, ensuite nous avons décidé de nous amuser un peu et nous sommes allés danser, répondit-il d'une voix narquoise.

— Excellente idée.

La réponse de son ami n'amusa guère David. Il savait pourtant très bien où ils s'étaient rendus, mais cela ne l'avait pas empêché d'avoir du mal à se concentrer sur son travail. Tanya lui avait manqué. Bon sang, se dit-il, il ne s'était pas attendu à ressentir cela pour elle, cette impression que son absence le dévorait.

— Franchement, où croyais-tu que nous étions ? Lucas a reçu tout de suite Tanya et il l'a envoyée faire des analyses qui ont duré tout l'après-midi.

— Je suis vraiment désolée d'avoir abusé de votre temps, lui dit Tanya avec un regard d'excuse.

Justin lui saisit la main.

— Ce n'est pas un problème.

Puis, il se tourna vers David.

— Elle s'est tirée de tout comme une championne, dit-il.

D'un mouvement du menton, il désigna le bureau encombré de papiers et ajouta :

— Je suis étonné que tu aies remarqué notre absence. On dirait que tu as été pas mal occupé.

— Qu'a dit Lucas ? demanda David, mécontent de la familiarité de Justin avec Tanya.

Il se leva, contourna le bureau et se planta devant eux. Il lui fallut faire appel à tout son sang-froid pour ne pas ordonner à Justin de se reculer.

Décontenancée par sa réaction, ce fut Tanya qui lui répondit.

— Il a dit qu'il était possible que je retrouve la mémoire, mais pour l'instant, il n'y a aucun moyen d'en être certain.

— Lucas a tiré quelques ficelles et je ne sais pas comment il s'y est pris, mais quand nous sommes retenus à son cabinet, il avait déjà les résultats des examens de Tanya.

Justin s'installa sur le canapé et se renversa contre le dossier, jambes croisées.

— Qu'ont-ils révélé ? interrogea David, impatient de savoir ce qu'on avait découvert.

Tanya soupira, l'air déçue.

— Très peu de choses, j'en ai peur, répondit-elle. Le Dr Avery n'avait pas les résultats des examens que j'avais passés il y a des années pour pouvoir les comparer. Il y a quand même une bonne nouvelle. Il ne croit pas qu'il puisse y avoir aucun problème pour que je retrouve la mémoire.

— Va-t-il pouvoir obtenir les résultats des anciens examens ?

Tanya hocha la tête.

— Il lui faudra quelques jours pour les avoir. Après les fêtes. Il me téléphonera.

David poussa un bref soupir de soulagement. Il avait envoyé Tanya chez Lucas pour s'assurer qu'elle ne souffrait pas d'un trauma à retardement, suite possible de son ancien choc. Sa plus grande crainte était qu'elle soit atteinte d'une tumeur, cause possible de ses rêves étranges et inexplicables.

— Il m'a recommandé de ne pas forcer ma mémoire. Ce pourrait être dangereux, poursuivit Tanya. Si je dois la retrouver, cela doit se faire naturellement.

Mais comment rester détendue, malgré les avis du médecin ? se demanda la jeune femme. Elle était convaincue que son passé était en train de revenir. Elle en était très excitée mais tout autant effrayée. La personne qu'elle avait été lui plairait-elle ? Ou bien en aurait-elle honte ?

— Son conseil me paraît raisonnable, commenta David.

— Si cela t'arrivait à toi, tu ne penserais pas la même chose. Je vais devenir folle à force de me demander ce qu'il va arriver. Je veux des réponses. Si je retrouve la mémoire…

David lui prit la main. Ses traits étaient pleins de compassion.

— Tu as raison, mais je t'en prie, efforce-toi de faire ce qu'il t'a dit. Si tu essaies de ne pas forcer, ta mémoire reviendra peut-être plus vite.

Il consulta sa montre.

— Es-tu prête pour aller dîner ?

Son regard se posa sur Justin.

— Delgado est à bord. Il te contactera demain matin.

Tanya poussa une exclamation étouffée. Ils n'avaient même pas pris le temps de déjeuner.

— Oh, mon Dieu ! s'excusa-t-elle auprès de Justin. Vous devez mourir de faim !

Justin se leva.

— En fait, oui, c'est vrai. Où allons-nous ?

— Tanya et moi dînons au Nikolaï's Roof, annonça David, nommant un des restaurants les plus réputés d'Atlanta, spécialisé dans la cuisine russe. Toi, je ne sais pas où tu vas.

— David ! s'écria Tanya, choquée.

— Bon, ça me va, dit Justin en levant les mains. Je sais quand on ne veut pas de moi.

— Nous adorerions vous avoir avec nous, n'est-ce pas, David ? insista Tanya, ignorant la lueur d'irritation dans les yeux de David.

Justin avait passé toute sa journée à s'occuper d'elle. Le moins que David pouvait faire était de l'inviter à dîner pour lui manifester sa gratitude.

— Non, non, ne vous inquiétez pas pour moi, répondit Justin.

Il se rapprocha d'elle et lui prit la main en riant.

— En fait, j'ai des projets pour ce soir. Je voulais juste embêter un peu ce garçon. J'ai beaucoup apprécié cette journée avec vous. J'ai l'impression que nous sommes appelés à nous revoir.

Puis, comme pour renforcer le déplaisir de David, il se pencha et embrassa la jeune femme sur la joue.

Souriante, Tanya le regarda s'en aller. Dès que la porte se fut refermée sur lui, elle fit face à David.

— Tu as été très grossier.

— Pourquoi ? Parce que je te voulais pour moi seul ? Crois-moi, Justin savait exactement ce qu'il faisait.

— Que veux-tu dire ? demanda Tanya en croisant les bras sur sa poitrine.

— Justin trouvait très divertissant de s'inviter.

— Je pensais qu'il voulait juste se montrer amical.

— Il savait très bien que je voulais être seul avec toi.

— Oh !

Devant le regard possessif de David, le cœur de Tanya manqua un battement. Elle ne résista pas quand il l'attira vers lui.

— Seul pour quoi faire ? demanda-t-elle d'une voix enrouée.

— Ceci.

Il posa ses lèvres sur les siennes. Tanya lui noua les bras autour du cou et se pressa plus fort contre lui. La main de David chercha et trouva un sein.

— Je ne crois pas que ce soit une bonne idée, souffla-t-elle en mettant fin au baiser avec un gémissement.

Pourtant, au moment même où elle prononçait ces mots, sa main s'aventurait hardiment sous la ceinture de David et le caressait. Son sexe était déjà dur comme le roc. Savoir qu'elle était capable de déclencher ce genre de réaction fit passer en elle une onde de désir.

— N'importe qui pourrait entrer et nous voir, murmura-t-elle contre sa bouche.

Bien sûr, songea-t-elle avec un brin de provocation, s'il s'agissait de Jessica, elle n'y attacherait aucune importance. Il ne serait pas désagréable de lui faire savoir que David n'était plus libre.

— C'est moi le patron ici, dit-il, tandis que ses lèvres descendaient le long de sa gorge. Nous irons dans l'autre pièce et fermerons la porte.

— Ton assistante en a une clé, lui rappela Tanya.

Ce qui ne l'empêcha pas de se cambrer lorsqu'il déboutonna sa blouse et souligna de la langue les contours de son soutien-gorge.

— Elle ne s'en servira pas, dit-il.

Il s'arrêta de la caresser, le temps de l'entraîner par la main vers la petite pièce contiguë à son bureau.

— En outre, ajouta-t-il, il est tard. Tout le monde va bientôt s'en aller.

Après avoir fermé la porte à clé, il poussa sa compagne vers le canapé. Il abaissa ses lèvres vers les siennes et s'y désaltéra longuement.

— Je crois qu'elle a un béguin pour toi, insinua Tanya en éloignant sa bouche de celle de David.

Ce dernier, occupé à lui dégrafer son soutien-gorge, s'interrompit.

— Quoi ?

— Jessica, dit Tanya d'un ton plus sec qu'elle ne l'aurait voulu. Elle te désire.

Les coins de la bouche de David se retroussèrent tandis qu'il desserrait sa cravate. Tanya se trompait. Il connaissait Jessica depuis longtemps et il savait qu'elle s'enorgueillissait de préserver l'emploi du temps de son patron. Tanya s'était peut-être méprise sur l'attitude protectrice de son assistante ? Jessica était certes une femme très séduisante, mais elle ne l'avait jamais attiré.

— Qu'est-ce qui te fait penser ça ? demanda-t-il, satisfait d'apercevoir une étincelle de jalousie dans les yeux de Tanya.

Tanya le regarda se déshabiller et avala sa salive quand il commença à déboucler sa ceinture.

— D'abord, elle s'est montrée très distante avec moi quand elle m'a amenée ici, dit-elle.

— Ah !

Il lui effleura les lèvres comme si ses paroles n'avaient aucun sens.

— Et puis j'ai vu sa façon de te regarder.

Devant l'expression amusée de David, elle se rembrunit.

— Je ne plaisante pas. A-t-elle déjà été ici avec toi ?

Après avoir fait glisser sa blouse au bas de ses épaules, David lui ôta son soutien-gorge, la laissant à demi nue devant lui. Il lui toucha un sein puis, du pouce, en caressa le mamelon.

— Tu veux dire comme ça ? murmura-t-il.

La gorge serrée, Tanya hocha la tête. Il était logique qu'il air fréquenté d'autres femmes avant elle, mais elle ne pouvait supporter l'idée qu'il ait pu avoir des relations intimes dans cette pièce avec une autre qu'elle.

David se pencha, prit son sein dans sa bouche et le câlina avant de se redresser et de la regarder dans les yeux.

— Et si c'était vrai ? s'enquit-il brusquement. Serais-tu jalouse ?

Les mains posées sur ses seins, il attendit sa réponse.

— Oui, admit-elle d'un ton calme.

Presque aussitôt, ses paupières s'abaissèrent car elle commençait à succomber au plaisir aigu que lui procuraient ses mains.

Sa réponse était exactement celle que David avait espéré. Pourtant, elle le stupéfia. Il croisa son regard.

— Je n'ai jamais eu aucune relation intime avec elle ici ou autre part, murmura-t-il. C'est toi la femme que je désire. Ici et maintenant.

« Et pour toujours », lui suggéra une petite voix dans son cerveau. Mais il fut incapable de prononcer les mots. Il lui paraissait impossible d'admettre qu'il ne pensait qu'à elle, ne désirait qu'elle. S'il le faisait et qu'elle s'en allait un jour, il en serait détruit. Non, il ne pouvait se permettre de tomber amoureux d'elle. Talonné par le désir, il l'allongea alors sur le canapé, la caressa, l'embrassa. Il la dépouilla de son pantalon, de ses chaussures, avant de lui couvrir le ventre de baisers. Ses doigts frôlèrent dangereusement le point le plus sensible de son corps tandis que les lèvres de Tanya se pressaient contre les siennes. Il l'entendit gémir.

Oh, comme il la désirait, elle et elle seule !

L'entendre admettre ses sentiments remplit Tanya de l'espoir qu'un jour il ressentirait pour elle quelque chose de plus fort. Le pressentiment qu'elle avait eu à son arrivée disparut en même temps que ses espérances s'accroissaient. Peut-être l'aimait-il déjà sans le savoir ?

Sa main se faufila, caressante, entre ses jambes et elle étouffa une exclamation. Tanya oublia tout ce qui n'était pas l'explosion érotique initiée par son contact. Elle se mordit la lèvre pour se retenir de crier.

— Je t'en prie, David, je t'en prie, supplia-t-elle, fais-moi l'amour.

David se débarrassa de ses vêtements et s'étendit sur elle. Elle lui ouvrit ses cuisses et il s'enfonça profondément en elle. Un grondement lui échappa en sentant ses jambes se refermer autour de lui et ses hanches se mettre à bouger à son rythme. Avec une lucidité qu'il n'avait encore jamais connue, il la contempla, vit ses yeux s'emplir de ravissement tandis qu'il accélérait la cadence. Il remarqua combien son souffle se faisait haletant chaque fois qu'il la pénétrait et qu'elle resserrait son étreinte sur lui. Quand elle se mit à crier, il posa sa bouche sur la sienne. Il but ses gémissements au moment où elle atteignait le sommet de l'extase. Alors, il accéléra encore son va-et-vient. Quand, enfin, il libéra sa jouissance, il dut se rendre secrètement à l'évidence : il s'était laissé aller à tomber amoureux d'elle.

Le téléphone se mit à sonner. Tanya bâilla et ouvrit les yeux avant de tendre la main vers l'appareil.

— Allô ?

Puis elle reconnut, surprise, la voix au bout du fil.

— Oh, bonjour, Justin. Attendez un instant. Je vais chercher David.

Elle n'eut pas à chercher bien loin. David était couché à côté d'elle dans le lit de son appartement d'Atlanta.

Tanya roula vers lui pour le réveiller mais, quand elle regarda son visage, elle vit qu'il la contemplait. Elle eut l'impression que son cœur fondait. A chaque instant passé auprès de lui, son amour se renforçait et elle était impuissante à l'endiguer.

— Bonjour, dit-elle souriante, c'est pour toi.

David lui prit l'appareil des mains non sans auparavant se pencher vers elle pour lui donner un baiser dans le cou et glisser son autre main vers son sein. Tanya ferma les yeux et émit un petit gémissement avant de se rappeler le téléphone.

— Arrête, chuchota-t-elle, les joues rouges, mais le corps irradié par la sensualité de sa main.

David continua à l'embrasser en riant.

— Rendors-toi, lui dit-il à voix basse. Je vais continuer la conversation avec Justin en bas.

Il enfila son pantalon, et s'en fut pieds nus, le combiné à la main. Couchée sur le côté, Tanya le regarda passer la porte. Après avoir fait l'amour dans le bureau, ils étaient revenus dans son appartement pour se doucher et se changer. David l'avait emmenée dîner dehors et ils étaient revenus ensuite passer le reste de la soirée au lit. Comme David le lui avait affirmé, tout le monde était déjà parti lorsqu'ils avaient quitté la société, y compris Jessica. Malgré tout, Tanya ne pouvait se retenir de penser que la jeune assistante savait exactement ce qu'ils faisaient derrière la porte close. Elle s'empourpra en repensant à la façon dont ils avaient fait l'amour dans le bureau.

Tanya s'étira et jeta un coup d'œil circulaire, se remémorant les lieux. David occupait un vaste duplex de grand standing, luxueusement aménagé, qui se trouvait non loin de son siège social. La salle de bains, avec son Spa et sa douche séparée, était gigantesque. Pourtant, l'appartement manquait du confort chaleureux que lui avait toujours offert la plantation. Que David puisse considérer Atlanta comme son foyer et se sente tout à fait à son aise dans cet appartement en disait beaucoup sur sa personnalité. Il était habitué aux plus belles choses de l'existence et non au dur travail physique de la plantation.

Son estomac gronda. Plutôt que d'attendre le retour de David, Tanya se leva dans l'intention de préparer le petit déjeuner pendant qu'il était au téléphone. Elle enfila la chemise de David. Boutonnée jusqu'au cou, elle lui arrivait en haut des cuisses. Ainsi vêtue, elle s'estima assez présentable pour évoluer dans l'appartement. Elle descendait vers le hall lorsqu'elle entendit la voix de David. Comprenant qu'il téléphonait de la cuisine, elle s'arrêta, soucieuse de ne pas le déranger. Elle n'avait pas voulu l'écouter, mais quand le nom de Cottonwood fut prononcé, elle s'immobilisa. Elle resta là, figée sur place par la curiosité. La voix de David était claire et nette.

— Parce que je n'ai pas le choix, disait-il.

Il y eut un silence, puis il se remit à parler, cette fois plus bas et plus sèchement.

— J'ai été clair depuis le début. Mes projets n'ont pas changé.

L'air se bloqua dans les poumons de Tanya.

« Parce que je n'ai pas le choix », avait-il dit. Bien sûr, elle savait depuis le début que David séjournait à Cottonwood par nécessité et non parce qu'il en avait envie. Pourquoi croyait-elle qu'une semaine pouvait changer cela ?

La jeune femme s'efforça de dominer le vertige qui la gagnait et de regagner sa chambre. Quelle idiote elle avait été ! Elle s'était trompée sur toute la ligne. Les sentiments de David pour Cottonwood n'allaient pas plus loin que son désir de garder la plantation dans sa famille. Quant à ses sentiments pour elle... Le regard de Tanya tomba sur le lit défait. Il la désirait. C'était clair et net. Il ne lui avait jamais laissé penser que leur relation pourrait devenir permanente. Elle devait maintenant faire face à la réalité : David ne tomberait pas amoureux d'elle. Au bord des larmes, le cœur lourd, Tanya s'assit sur le rebord du lit. Parviendrait-elle à se contenter du désir qu'il éprouvait pour elle ?

Elle avait aimé David presque depuis la première fois où elle l'avait aperçu. Elle était alors une adolescente perdue abordant un monde nouveau et effrayant. Pendant toutes ces années où il s'était éloigné d'elle, elle avait eu mal. Cette souffrance, elle avait pu s'en accommoder. Mais pourrait-elle vivre l'année à venir et faire l'amour avec lui, avec au fond de son cœur la certitude qu'il la quitterait pour retourner à Atlanta ?

Elle n'eut pas le temps d'y réfléchir plus longtemps, car David pénétra d'un pas nonchalant dans la chambre. Tanya avala la boule qui s'était formée dans sa gorge et parvint à trouver le courage de parler.

— Tout va bien ? Es-tu obligé d'aller au bureau ?

Le regard de David se posa sur elle, notant la rigidité de ses traits. Il commençait à bien reconnaître ses humeurs. Il savait quand elle était en colère, triste ou inquiète. Il se demanda s'il était arrivé quelque chose pendant les quelques minutes qu'avait duré son absence.

— Non, répondit-il. Justin va s'occuper de tout ce matin.

Comme elle s'assombrissait, il demanda :

— Ça va ?

Le sourire de Tanya n'atteignit pas ses yeux.

— Très bien. Je suppose que je dois prendre ma douche et me changer pour que nous puissions partir ?

David perçut le tremblement de sa voix. Quelque chose n'allait pas, c'était sûr.

— Inutile de se presser. Nous avons tout le temps, dit-il. Thanksgiving n'est que demain.

Tanya se leva et rassembla ses vêtements.

— Je sais, mais je suis pressée de rentrer à la maison.

— Tu es certaine que tout va bien ?

En dépit de son affirmation, il détecta la trace de larmes dans ses yeux. Il lui caressa l'épaule.

— Tu as fait un mauvais rêve quand je me suis levé ?

Tanya se força à croiser son regard.

— Oui, mentit-elle, non sans réaliser soudain qu'elle n'avait pas du tout rêvé la nuit dernière.

— Tu veux m'en parler ?

— De quoi ? demanda-t-elle, perplexe. Oh, euh… non.

Elle fit un pas de côté pour se dégager.

— Je vais bien. Juste un peu secouée, c'est tout.

C'était la pure vérité. Seulement cela n'avait rien à voir avec un rêve.

— Va prendre une douche. Tu te sentiras mieux après.

Ce qu'elle fit rapidement, tant elle était pressée de rentrer à la plantation. Là enfin, elle redeviendrait elle-même. Elle avait besoin de réfléchir à sa relation avec David.

— J'ai fini, dit-elle à David d'une voix qu'elle s'efforça de garder neutre.

David commença à se diriger vers la salle de bains puis s'arrêta à côté d'elle et l'embrassa. En dépit de ses propres consignes,

Tanya glissa les mains sur son torse et se perdit dans ce baiser, tant sa faim de lui la tenaillait à chaque minute. Il passa un bras autour d'elle et la serra plus fort contre lui. La bouche qui prenait la sienne, sa proximité enflammèrent Tanya.

— Tu sens si bon, dit-il d'une voix rauque.

— David, murmura-t-elle, sachant que, si elle ne l'arrêtait pas tout de suite, ils finiraient au lit.

Elle lui plaqua les mains contre la poitrine et sentit le rapide battement de son cœur.

— Ta douche, le pressa-t-elle d'une voix haletante. Nous devons partir tôt.

— Je sais, dit-il, non sans l'embrasser de nouveau.

Quand il redressa la tête, Tanya se lécha les lèvres, cherchant à retrouver la saveur de sa bouche. Elle aurait bien aimé pousser un peu plus loin. Pourtant, il fallait rentrer à Cottonwood. Là-bas elle était en sécurité.

— Je serai prête quand tu auras fini ta toilette, dit-elle.

David hocha la tête puis disparut dans la salle de bains. Tanya commença à faire ses bagages. Ses yeux la piquaient. Qu'allait-elle faire ? Que pouvait-elle faire ? Elle aimait David, mais elle reconnaissait que la situation était sans espoir. David ne l'aimait pas et ne l'aimerait jamais.

10.

Tanya écarta le rideau et contempla par la fenêtre de la salle à manger les arbres dépouillés qui bordaient le chemin menant à la maison principale. C'était le jour de Thanksgiving et le ciel était aussi gris et lourd que son humeur. Un frisson la parcourut, qui n'avait rien à voir avec le froid vif de l'extérieur. Elle avait attendu ce jour avec impatience pour le passer avec David. Maintenant qu'il était là, elle éprouvait une vague sensation de malaise, une angoisse qu'elle était incapable de s'expliquer. Ces derniers temps, songea-t-elle, rien ne s'était bien passé dans sa vie. Enfin, ce n'était pas l'exacte vérité. Elle avait quand même accompli son rêve d'être avec David, d'être entre ses bras et de faire l'amour avec lui.

« Mais à quel prix ! » lui souffla son esprit.

« Au prix de ton cœur. » Oui, la belle affaire ! Elle mordilla sa lèvre inférieure et soupira. Oh, comme elle désirait qu'il l'aime aussi ! Même s'il s'était montré tendre et attentif avec elle depuis leur retour, jamais il ne lui avait murmuré aucun mot d'amour. Tanya savait bien qu'elle ne devait pas s'y attendre, mais elle avait trop de mal à maîtriser les désirs de son cœur. Certes, elle savait que David avait un passé douloureux, d'abord à cause d'Edward, ensuite à cause de Melanie. Elle n'en continuait pas moins à désirer être aimée de lui et rester à Cottonwood avec lui pour toujours.

Etait-ce là ce dont étaient faits les contes de fées ? De rêves et de souhaits ?

Comme elle se détournait de la fenêtre, un tableau accroché au-dessus du grand buffet en merisier retint son regard. Edward lui avait raconté qu'il avait commandé à un peintre de représenter Cottonwood, pour l'offrir à sa femme, peu de temps après leur mariage. L'artiste avait parfaitement représenté l'architecture de la maison et les terres alentour à grandes touches de couleurs.

Là se trouvait tout ce qu'elle aimait, songea-t-elle. Mais peu importait ce qu'elle ressentait, car David, lui, ne serait jamais heureux ici. Elle en était sûre, désormais. A ses yeux, il y avait trop de souvenirs malheureux qu'il paraissait incapable d'écarter. Même pour elle. Elle ne pouvait vraiment pas l'en blâmer. Rejeté par son père dans sa jeunesse, il ne s'en remettrait jamais. Tanya avait vu à quel point il pouvait être dynamique et sérieux quand il discutait affaires avec Justin ou quand il était au téléphone avec un client. Cet homme-là était le véritable David Taylor. Atlanta était la vie dont il avait toujours rêvé depuis qu'il avait quitté Cottonwood. Il avait travaillé avec acharnement pour bâtir une affaire lucrative. Il faisait ce pour quoi il était fait. David n'avait jamais prévu de revenir à Cottonwood ni d'être forcé d'y vivre. Ses sentiments pour Tanya n'avaient rien changé à la chose.

En fait, leur liaison avait tout compliqué. Peu importait qu'elle ait à en souffrir, elle savait qu'un jour elle devrait quitter Cottonwood. Il fallait voir la vérité en face. Elle ne pouvait plus ni y vivre avec lui, ni poursuivre leur relation. Elle pourrait juste souffrir davantage si elle s'attardait encore. Plus longtemps elle resterait ici, plus elle aurait mal quand David repartirait pour Atlanta.

Tanya exhala un long soupir. Après avoir pris la décision de s'en aller, un sentiment de paix l'enveloppa, un calme intérieur qui l'avait fuie depuis leur retour d'Atlanta. Il serait dur de s'en aller, mais elle vivrait mieux sa souffrance si elle n'habitait plus Cottonwood. Malgré la volonté d'Edward qu'elle puisse continuer à y travailler tant qu'elle le voudrait, si elle partait, David hériterait immédiatement de la plantation. Ce qu'il avait toujours désiré.

Un bruit de pas se fit entendre. Tanya s'éloigna de la fenêtre et son cœur se serra quand elle vit David entrer dans la pièce. Leurs regards se croisèrent et elle se força à sourire.

— Bonjour !

Il la prit dans ses bras.

— Bonjour, toi !

Il prit sa bouche avec gourmandise puis s'écarta et la dévisagea.

— Tu vas bien ?

Depuis qu'ils avaient quitté Atlanta, ce n'était pas la première fois qu'il se demandait à quoi elle songeait. Ici, elle était anormalement calme. Quelque chose la tracassait. Chaque fois qu'il lui avait demandé ce qui la perturbait, elle avait tranquillement nié qu'elle allait mal. Il avait fini par se persuader qu'il n'avait aucune raison de s'inquiéter. Jusqu'à ce qu'il la revoie aujourd'hui. La tristesse indubitable de son regard accrut son inquiétude et ses doutes revinrent à la surface.

— Ça va, répondit-elle. Es-tu prêt à partir ? La fête va bientôt commencer.

Excité par la perspective d'assister à la célébration de Thanksgiving à Cotton Creek, David décrocha la veste de Tanya au passage. Il se souvenait des moments de joie qu'il avait partagés avec ses parents en assistant au festival durant son enfance. Après la mort de sa mère, il s'y était rendu seul ou avec un ami. Mais jamais avec son père. Le seul fait de penser à son père ne lui gâcha pas le plaisir qu'il se promettait d'y accompagner Tanya. Désormais, il était capable de se rappeler les bons moments en compagnie de son père sans le sentiment de chagrin et de rejet qui l'avait retenu loin de chez lui.

— Tu pourrais en avoir besoin, dit-il à Tanya en l'aidant à enfiler le vêtement. La température a baissé dehors. Je crois que le froid va s'installer.

En même temps, il songea aux mois d'hiver qui se profilaient devant eux, aux heures supplémentaires qu'il allait passer auprès de Tanya, allongé devant un bon feu, à lui faire l'amour.

L'air de cette fin d'après-midi était frais au moment où ils montèrent en voiture. Quelques minutes plus tard, ils arrivèrent à l'entrée de la petite ville. De la musique leur parvenait de l'endroit où avait lieu la fête.

— Je crois que c'est l'orchestre du lycée, dit Tanya comme David tournait pour se garer dans une rue proche.

— Il a l'air drôlement pro, commenta-t-il.

Ils se dirigèrent vers la musique. Une sensation de retour au foyer submergea David. La fête était installée dans un parc du centre de la ville, loin des artères principales. Des ballons et des banderoles étaient accrochés aux arbres. Des baraques de nourritures s'alignaient en bordure du parc, et la foule avait déjà envahi les lieux. Une scène provisoire avait été installée au centre du parc pour que l'orchestre puisse jouer avant le feu d'artifice qui devait conclure les festivités.

A sa surprise, rien n'avait vraiment changé depuis la dernière visite de David. Les arbres avaient certes grandi, et certains visages étaient différents, car la population s'était accrue. Pour la première fois, David eut vraiment le sentiment d'appartenir à Cotton Creek. Revenir à la maison ne lui avait pas été si difficile qu'il l'avait pensé. Etait-il possible de mettre de côté ses sentiments pour son père et de faire de Cottonwood son véritable foyer ?

En raison de Tanya ? se demanda-t-il. Cette pensée ne l'effraya pas comme elle aurait dû le faire. Il pouvait même s'imaginer en balade dans ce parc avec Tanya, leurs enfants s'ébattant dans l'aire de jeu. La possibilité de partager le reste de ses jours avec elle comblait en lui un vide qui l'avait habité depuis des années. Qu'il puisse même envisager de vivre ici était en soi remarquable. Pour avoir voulu prouver à son père qu'il était capable de réussir, il avait oublié comment profiter de la vie et aussi l'importance de ses racines. Pourtant, elles étaient bien là, profondément enfouies. Des générations d'ancêtres avaient fait de la plantation de Cottonwood son véritable foyer. Le souvenir chéri de sa mère était là aussi. Comment avait-il pu croire qu'il pourrait s'en éloigner à jamais ?

David resserra son étreinte sur la main de Tanya et entrelaça ses doigts avec les siens. Ils s'arrêtèrent de ci, de là, échangeant quelques mots avec amis et relations. A un moment, Tanya repéra un marchand de barbe à papa et poussa des cris de ravissement. Après s'être gentiment moqué d'elle, David plongea la main dans sa poche à la recherche de monnaie.

— Il ne t'en faut pas beaucoup pour être heureuse, hein ? dit-il, en payant le vendeur et en lui tendant la sucrerie.

« Juste ton amour », songea-t-elle. Mais c'était trop lui demander. Elle fit un effort pour ne pas penser à sa décision de partir. Elle voulait juste profiter à fond de la présence de David. Elle commença à tourner et virer autour de la scène où se produisait l'orchestre jusqu'au moment où David l'attira contre lui pour l'embrasser.

— Tu as un goût de cerise, lui dit-il.

— Tu t'en plains ? sourit-elle.

— Non, mais je veux faire beaucoup plus que te goûter.

De nouveau, il lui donna un baiser où leurs langues se mêlèrent et donnèrent à David l'envie de la toucher à certains endroits où il n'était pas permis de le faire en public.

Tanya émit un doux gémissement puis se détacha de lui et lui sourit.

— En veux-tu un peu ? demanda-t-elle en lui montrant la barbe à papa.

Il n'eut pas le temps de répondre qu'elle lui en fourrait un morceau dans la bouche.

— Oh, mon Dieu ! Victoria ! C'est bien toi ?

Tanya sursauta et un frisson glacé lui parcourut l'échine. Elle secoua d'un mouvement d'épaules la désagréable impression avant de jeter un coup d'œil à la femme qui avait crié. Elle était accompagnée d'un homme que Tanya était certaine de n'avoir jamais vu. Pour ce qui concernait la femme, eh bien, elle n'en savait trop rien. Elle ne la reconnaissait pas, mais quelque chose en elle lui paraissait familier. Ses yeux étaient agrandis par le choc, elle était blême et sa bouche s'était arrondie de surprise en la dévisageant. Sa stupéfaction semblait authentique. Il était manifeste qu'elle croyait connaître Tanya.

— Vous devez me confondre avec quelqu'un d'autre, commenta Tanya.

Avec un sourire poli, elle se détourna et commença à s'éloigner.

— Non ! Attends ! Victoria !

La femme l'arrêta en lui agrippant le bras. D'un seul coup, tous les muscles du corps de Tanya se tendirent. Elle se retourna vers la femme et son malaise revint, plus violent.

— Oui ?

— Victoria, c'est moi, Imogene ! s'écria la femme.

Tanya la fixa. Que répondre ? A l'évidence, cette personne croyait la reconnaître et pourtant, même en faisant un effort, elle ne se rappelait pas l'avoir jamais rencontrée.

— Je vous l'ai dit. Je ne m'appelle pas Victoria, mais Tanya. Tanya Winters.

Pourtant, tandis qu'elle prononçait ces mots, la sensation d'avoir déjà vu cette jeune femme l'envahit. Son pouls battit plus vite.

— Nous nous sommes peut-être déjà rencontrées, mais je suis désolée, je ne m'en souviens pas.

Son regard glissa sur son interlocutrice, à la recherche d'un indice. L'inconnue semblait avoir quelques années à peine de plus qu'elle. Ses cheveux blonds, coupés à la hauteur des épaules, encadraient son joli visage. Quelque chose dans ses lumineux yeux verts, qui la couvraient d'un regard incrédule, piqua sa curiosité.

Comme si l'impact des paroles de la femme l'atteignait enfin pleinement, Tanya retint son souffle. Cette femme croyait vraiment qu'elle s'appelait Victoria. Quant à l'homme qui l'accompagnait, eh bien, si elle l'avait rencontré dans le passé, elle n'aurait pas pu l'oublier. Grand et beau, ses cheveux d'un noir intense formaient un contraste saisissant avec ses yeux gris. Lui au moins, elle était certaine de ne l'avoir jamais vu.

— Ecoutez, intervint David, ennuyé que l'étrangère insiste, de toute évidence, elle ressemble à…

— Non, s'il vous plaît, accordez-moi une minute, implora la femme.

Sa voix était douce mais insistante, son regard farouche.

— Ecoutez-moi, je vous en prie. Je ne me trompe pas…

Elle jeta un bref coup d'œil à son compagnon comme pour l'appeler à l'aide, puis son regard revint se poser sur le jeune couple.

— Je m'appelle Imogene Shakir et voici Raf, mon mari. Mon nom de jeune fille est Danforth.

Comme si elle s'attendait à ce que Tanya réagisse à ce nom, elle s'interrompit et attendit.

Soudain très angoissée, Tanya se libéra de son étreinte et se rapprocha de David. Il lui passa un bras autour de la taille.

— Danforth ? répéta-t-il. Etes-vous une parente du sénateur Danforth ?

Imogene Shakir hocha la tête et ses yeux se remplirent de larmes.

— Oui, oui. C'est mon oncle.

— Ah, s'exclama Tanya, pas très sûre de savoir quoi ajouter.

La femme paraissait sur le point de fondre en lames.

— C'est *notre* oncle.

Tanya fronça les sourcils, sans trop bien comprendre.

— Non, je suis navrée. Vous avez dû me confondre avec quelqu'un d'autre.

Mais comment ignorer les larmes dans les yeux de la femme et son expression pleine de détresse et cependant déterminée ?

Très lentement, Imogene tendit de nouveau la main vers elle et lui saisit le bras avec plus de force que la première fois.

— Tu es ma sœur. Tu t'appelles Victoria. Tu me crois folle, je le sais, mais tu te trompes.

Sa voix se fit plus rapide, son intonation plus pressante.

— Il y a cinq ans, tu as quitté la maison avec une amie pour assister à un concert de rock à Atlanta. Pour ton anniversaire, notre frère Jacob avait acheté des billets pour que nous y allions toutes les deux ensemble. Mais je n'ai pas pu m'y rendre et tu as invité une amie à t'accompagner. Elle s'appelait Tanya Winters. Tu es ma sœur, Victoria Danforth. Tu as disparu après le concert. Depuis ce moment, nous n'avons pas cessé de te rechercher.

Tanya vit que la femme tremblait et son tremblement se communiqua à son propre corps. Elle chercha David du regard. Il la contemplait avec une étrange expression. Etourdie, elle pencha la tête, le visage entre les mains. Un éclair fulgura dans son esprit. Une myriade de visages et de décors tourbillonna dans sa tête et disparut sans qu'elle ait eu le loisir de les arrêter.

— Je... je ne sais pas..., balbutia-t-elle en fixant de nouveau le couple.

— C'est la vérité, affirma Raf Shakir. J'ai vu des photos de vous.

David resserra son étreinte.

— Tanya ?

— Réfléchis, Victoria, implora Imogene d'une voix aiguë. C'était le jour de ton dix-septième anniversaire. Il y a eu une grande fête, ce jour-là. Papa et maman avaient organisé une réception avec toute la famille juste avant ton départ. C'est moi qui devais t'accompagner au concert. Pas Tanya Winters.

Tanya avala difficilement le nœud qu'elle avait dans la gorge et son regard se déplaça de celui d'Imogene vers celui de David. Une douleur aiguë lui vrilla les tempes. Une nouvelle série d'images s'imposa à son esprit.

— Oh, mon Dieu ! Oh, mon Dieu !

Elle se mit à trembler si fort qu'elle en perdit la respiration.

— Tori ? s'écria Imogene, les yeux soudain pleins d'espoir.

Alors tout mouvement cessa dans l'esprit de Tanya. Elle vit une image d'elle-même près de la femme qui se trouvait en face d'elle. Elles étaient plus jeunes, des adolescentes, et étaient assises sur le lit dans une chambre. Elles riaient. En un clin d'œil, l'image disparut, aussitôt remplacée par une autre qui la représentait debout dans une grande maison, avec un tas de gens autour d'elle. Il y avait des ballons et des bougies sur un magnifique gâteau de deux étages et le nom de *Victoria* écrit dessus en lettres roses.

Le sang lui monta à la tête. Un martèlement emplit ses oreilles et tout, autour d'elle, commença à s'effacer. Tanya adressa à Imogene un regard rendu flou par les larmes qui coulaient sur ses joues.

— Genie ? murmura-t-elle.

D'un seul coup, tout devint noir autour d'elle.

David n'eut pas le temps de la retenir au moment où son corps fléchissait. Inconsciente, elle se laissa glisser sur le sol. Gorge serrée, il se laissa tomber à genoux et la soutint en essayant de la réveiller.

— Tanya ? Chérie ? C'est moi, je suis là avec toi, dit-il en lui tapotant doucement le visage. Allons, Tanya !

Elle gémit et lui jeta un bref regard avant de refermer les yeux.

— Tanya, chérie ? Regarde-moi.

Elle battit des paupières, mais elle avait toujours les pupilles dilatées et ne le fixait pas.

— David ? dit-elle enfin dans un murmure.

Une foule s'était rassemblée autour d'eux. David entendait chuchoter et comprit qu'une partie de leur conversation avait été entendue. Son regard se posa sur le couple qui s'était agenouillé aussi à côté de Tanya.

— Elle a sans doute reçu un choc, dit-il.

Quelqu'un parla d'appeler les urgences.

— Je l'emmène à l'hôpital, déclara David à Imogene. Ça ira plus vite.

— Bien entendu, nous vous accompagnons, répondit Imogene d'un ton aimable mais ferme.

— Nous vous y conduisons, renchérit Raf, ses clés de voiture à la main. Nous sommes arrivés tôt et notre voiture est garée dans le virage en face de ce bâtiment. Cela vous permettra de soutenir la sœur d'Imogene.

David réfléchit un instant et hocha la tête. En dépit de ce que prétendait le couple sur la prétendue véritable identité de Tanya, il ne leur donnerait aucune possibilité de rester seuls avec elle tant qu'il ne saurait pas ce qu'il se passait exactement.

*
* *

Tel un fauve en cage, David faisait les cent pas dans la salle d'attente de l'hôpital. Dès son arrivée en compagnie de Raf et d'Imogene Shakir, ils avaient été pris en charge par une infirmière. Après un bref compte rendu des événements intervenus dans le parc, Tanya avait été transportée en salle de soins. David répéta au médecin de garde qui l'examinait ce qu'il avait déjà dit à l'infirmière, en y ajoutant des détails sur ses rêves étranges, ses maux de tête persistants et ses sensations de déjà-vu. En dépit de ses vives protestations, on l'avait fait entrer dans une salle d'attente et forcé à laisser Tanya aux bons soins du médecin.

Tanya était-elle vraiment Victoria Danforth, nièce du sénateur Abraham Danforth, cette jeune fille qui avait disparu cinq années auparavant ?

David ne savait plus où il en était. Il n'arrivait pas à y croire et cependant, d'une étrange manière, tout cela avait un véritable sens. Tanya se déplaçait avec une grâce naturelle, un détail qu'il avait souvent remarqué, et plus encore lors de son déplacement à Washington. En dépit de ce qu'ils avaient toujours cru de ses origines — qu'elle était une ado perturbée sans aucun soutien familial —, elle était pleine de confiance en elle. Elle ne savait pas d'où elle venait et pourtant elle avait de la force de caractère et de l'éducation. Et ces rêves à propos de gens qu'elle disait avoir connus ? Etaient-ils d'autres indices de sa véritable identité ?

— Elle va se remettre, murmura Imogene en s'approchant de David.

Elle lui posa le bras sur l'épaule et la pressa avec douceur. David se tourna vers Imogene Danforth-Shakir. Elle avait des cheveux blonds comme ceux de Tanya mais ils étaient coupés court et d'un style qui mettait ses yeux verts en valeur.

— Le pensez-vous vraiment ? demanda-t-il d'une voix blanche, désireux de la croire.

Il se frotta le visage.

— Elle est passée par tant d'épreuves !

— Je sais qu'elle a eu un choc, mais je veux croire qu'il s'agit d'une réaction au fait d'avoir été retrouvée. Ma famille n'a jamais abandonné l'espoir de retrouver Tori.

Elle se mordilla la lèvre et ses yeux exprimèrent la curiosité.

— Je ne voudrais pas me montrer indiscrète, mais qui êtes-vous ?

— Je m'appelle David Taylor. Je connais Tanya depuis plus de cinq ans mais, au cours de ces deux dernières semaines, nous sommes devenus…

Il hésita.

— Nous avons refait connaissance.

Il ne put découvrir aucun autre mot pour décrire leur relation afin de ne pas ajouter de soupçons à l'inquiétude qu'il lisait dans les yeux d'Imogene.

— A-t-elle vécu avec vous durant ces cinq années ? demanda-t-elle.

— Non, répondit David. Pas avec moi. Avec mon père Edward Taylor, dans notre plantation familiale, juste à l'extérieur de la ville. Mon père est mort récemment, mais il a accueilli Tanya il y a cinq ans à Cotton Creek et s'est occupé d'elle, alors qu'elle n'avait ni foyer ni famille.

— Victoria, corrigea Imogene.

Son regard s'adoucit.

— Je suis désolée pour votre père.

Et, comme il la remerciait d'un mouvement du menton mais restait silencieux, elle poursuivit :

— Comment a-t-il connu Victoria ?

— Après avoir été guérie de sa blessure, elle devait aller dans un centre d'accueil. Quand mon père a entendu parler de sa situation, il l'a hébergée et lui a offert un emploi.

— Une blessure ? demanda Imogene, les yeux agrandis. Quelle blessure ?

— Une sorte de traumatisme crânien. Personne ne sait ce qui lui est arrivé. On nous a seulement raconté qu'on l'avait découverte inconsciente sur le bas-côté de la route. Lorsqu'elle s'est réveillée, elle ne se souvenait plus de rien.

Imogene posa une main sur sa gorge et pâlit.

— Oh, mon Dieu ! Elle ne se souvenait de rien du tout ?

David secoua la tête.

— Elle est restée amnésique depuis lors.

Raf glissa une main protectrice sur l'épaule de son épouse.

— Tour cela est terminé maintenant. Nous devons nous réjouir de l'avoir retrouvée saine et sauve.

— Tu as raison, Raf, bien entendu.

Imogene se tourna vers David.

— Mais que lui est-il arrivé ? A-t-elle été blessée d'une autre manière. A-t-elle été…

Sa voix trembla.

— Non, répondit rapidement David. En dehors du traumatisme et de son amnésie, elle n'avait aucune autre blessure.

Il pinça les lèvres. Il n'avait aucune envie de développer sa réponse. Il n'était pas près d'admettre qu'il était le premier homme avec qui Tanya avait fait l'amour. Et il voulait être le dernier. Car il l'aimait. Il l'avait aimée dès le premier moment où il l'avait vue. Sauf qu'à cette époque, il était trop en colère contre son père pour admettre une autre personne près de lui. Il avait gardé sa colère pendant des années, en restant loin de Cottonwood, loin de Tanya. Loin de *Victoria*.

Il fixa Imogene d'un regard durci.

— Etes-vous absolument certaine qu'il s'agisse de votre sœur ?

— Oui.

Imogene regarda autour d'elle et repéra son sac posé sur une chaise.

— Attendez.

Elle traversa rapidement la pièce et fouilla dans son sac. Elle en retira son portefeuille, l'ouvrit et brandit une photo.

— C'est Victoria à dix-sept ans, dit-elle à David en revenant vers lui. Elle a été prise à son anniversaire, le jour même de sa disparition. Depuis, je l'ai toujours gardée avec moi. Je n'ai jamais abandonné l'espoir de la retrouver.

Un seul coup d'œil sur la photo suffit à David. Tanya *était* Victoria Danforth. La ressemblance était indiscutable.

— Elle a été perturbée ces derniers temps par de nombreux rêves, dit-il. En fait, elle a été examinée il y a quelques jours à Atlanta par un ami, spécialiste en neurologie. Tanya et moi soupçonnions qu'elle était en train de recouvrer la mémoire. Le choc de vous revoir a dû rompre la dernière barrière de son amnésie.

Imogene pâlit.

— J'ai rêvé de Victoria, moi aussi. Elle se trouvait dans un pré de notre haras et, chaque fois que j'essayais de l'atteindre, elle disparaissait.

David secoua la tête et son regard se noua à celui d'Imogene. Il voyait maintenant une ressemblance très nette entre les deux sœurs.

— Pour moi, elle a toujours été Tanya, dit-il. L'appeler Victoria me paraît étrange.

Un sourire compréhensif étira les lèvres d'Imogene.

— Dans ce cas, pourquoi ne pas l'appeler Tori ? C'est ainsi que nous l'appelions…

Elle s'interrompit, se rendant compte de ce qu'elle avait dit et rectifia :

— C'est ainsi que nous la nommons.

— Tori, répéta David.

Pour une raison inexplicable, cela lui plut.

— J'ai téléphoné à mes parents, reprit Imogene. Ils étaient fous de joie, pour ne pas dire plus, et terriblement soulagés, comme nous tous.

— C'est compréhensible, dit David.

Il jeta un coup d'œil à travers la fenêtre qui donnait sur la rue longeant l'hôpital.

— Je leur ai promis que je ne quitterai pas Victoria des yeux. Ils sont déjà en route. Ils devraient arriver d'ici à deux heures environ.

David songea que, dès que la nouvelle qu'ils avaient retrouvé leur fille aurait filtré, l'hôpital et la ville deviendraient une véritable ruche. Les médias allaient se nourrir de la nouvelle. Quel idiot il avait été ! songea-t-il. Il aurait dû être plus honnête avec lui-même et avec Tanya à propos de ses sentiments pour elle. Il aurait dû lui avouer à quel point il l'aimait.

Maintenant, il craignait de ne plus en avoir l'occasion.

11.

Une certaine agitation à l'entrée de l'hôpital attira l'attention de David. Plusieurs hommes et femmes y étaient rassemblés, la voix haut perchée, chacun essayant de parler en même temps. Il considéra la foule bruyante puis jeta un coup d'œil par la fenêtre en direction du parking. De nombreuses voitures y étaient garées, antennes dressées, et parmi elles des télévisions nationales. La foule qui se bousculait à l'entrée de l'hôpital était celle des reporters en quête d'une belle histoire. La nouvelle que l'héritière Victoria Danforth venait d'être retrouvée était parvenue jusqu'à eux.

Super ! songea David. Juste ce dont Tanya avait besoin. Il ne manquait plus qu'un reporter parvienne à se faufiler dans sa chambre pour la prendre en photo. Seulement, elle n'était plus Tanya Winters, se répéta-t-il pour la centième fois depuis son arrivée à l'hôpital. Elle était Victoria et les paparazzi étaient prêts à se jeter sur la moindre bribe d'information à son propos.

Le regard de David se posa sur les lourdes portes qui le séparaient de Victoria. On les faisait attendre depuis deux heures et cela le tuait. Il avait vraiment besoin de savoir si elle allait bien. Soudain, les battants menant aux salles de soins s'ouvrirent et David se précipita vers le médecin avec qui il s'était entretenu au sujet de Tori un peu plus tôt. Imogene et Raf sur les talons, il retrouva l'homme en blouse blanche au milieu de la salle.

— Comment va-t-elle ? demanda-t-il, un nœud dans la gorge, comme s'il s'attendait à une aggravation de l'état de Tori.

— Ça va aller, répondit le médecin.

Son regard tomba sur la foule de gens éparpillés dans la salle et il fronça les sourcils.

— C'est la presse ? demanda-t-il.

Sans attendre la réponse, il fit signe à David, Imogene et Raf de le suivre.

— Dans ces circonstances, dit-il en les conduisant vers une autre pièce, je pense que vous aurez un peu plus d'intimité.

Les grandes portes se refermèrent au nez de ceux qui les avaient suivis et étouffèrent les voix des paparazzi. Le médecin conduisit le trio vers une salle d'examen vide.

— D'abord, déclara le médecin, je dois vous dire que Mlle Danforth va bien. Je l'ai examinée avec soin et nous avons effectué quelques examens. Après avoir longuement parlé avec elle, je crois pouvoir dire que son amnésie a complètement disparu.

Il secoua la tête.

— Cela se passe parfois ainsi avec une commotion cérébrale. Une personne peut n'avoir aucun souvenir du passé puis, avec le choc, tout lui revient.

— Alors, elle va bien ? demanda Imogene d'une voix qui tremblait un peu.

— Elle est inquiète et se sent un peu dépassée, c'est dans l'ordre des choses. D'après ce que vous m'avez dit, elle a eu autant d'émotions aujourd'hui qu'au cours des cinq dernières années ! Mais oui, elle va bien. En dehors d'un léger mal de tête, elle ne se plaint de rien. Et elle assume le retour de sa mémoire avec une grande maîtrise qui me laisse admiratif de son caractère.

Il sourit.

— Aura-t-elle des rechutes ? le questionna Imogene.

— Je ne le crois pas. Il faudra quelques jours à son esprit pour se réadapter et se rétablir. Je lui ai fait une ordonnance pour ses maux de tête, mais ce sont des médicaments très classiques pour la migraine, rien de plus.

— Puis-je la voir maintenant ? demanda David sur le ton de la supplication.

— Nous aussi, nous aimerions la voir, renchérit Imogene.

— Mlle Danforth souhaite vous voir tous les trois, mais attention ! Elle a repris son sang-froid, mais il lui faut peu de chose pour l'agiter.

Ils suivirent le praticien le long d'un couloir et, au moment où ils allaient pénétrer dans la chambre de Victoria, il les arrêta.

— Je ne m'attends pas à ce que Mlle Danforth ait d'autres complications, pourtant vous devriez faire en sorte de ne pas l'inquiéter ni la perturber au cours des prochains jours. Elle sera libre de s'en aller dès que j'aurai signé la décharge. A votre place, j'aimerais mieux m'assurer qu'elle rende visite à un spécialiste d'ici à quelques jours. Avant tout, elle aura besoin de beaucoup de tranquillité pendant un certain temps.

David et Imogene hochèrent la tête et le médecin les abandonna. Sans plus attendre, Imogene se précipita à l'intérieur de la chambre, suivie de Raf et de David. Ce dernier aurait bien aimé disposer de quelques minutes seul avec Victoria. Il avait envie de lui parler, il *fallait* qu'il lui parle, pour lui dire enfin qu'il l'aimait. Mais les circonstances allaient contre ses désirs. Victoria allait avoir besoin de temps pour se faire aux changements de son existence — et, avant toute chose, revoir sa sœur et avoir des nouvelles de sa famille. David espérait seulement qu'il ne la perdrait pas.

A peine entré, son regard se fixa sur le visage de Victoria. A en juger par son expression, il comprit qu'elle ne savait plus où elle en était, même si elle s'efforçait de le cacher.

Imogene s'installa rapidement à côté d'elle et David s'obligea à rester en arrière pour leur accorder un peu d'intimité.

— Oh, Tori ! s'écria Imogene les larmes aux yeux. Chérie, est-ce que tu vas bien ?

Victoria hocha la tête. Assise dans le lit, vêtue d'une blouse d'hôpital vert pâle, une couverture remontée jusqu'à la taille, elle avait l'impression que son cerveau avait explosé en mille morceaux. Elle croisa le regard d'Imogene qui lui caressait le bras.

— Oui. J'ai mal à la tête mais les médecins disent que c'est normal.

En réalité, la migraine, même si elle lui martelait les tempes sans relâche, était le cadet de ses soucis. Pour la première fois depuis cinq ans, elle était enfin *quelqu'un*. Bien qu'elle eût vécu sous le nom de Tanya Winters, elle ne s'était jamais sentie à l'aise avec le passé qui avait été accolé à ce nom.

Elle n'avait jamais été Tanya Winters la petite fille des rues. Tout ce qui lui était arrivé devenait tellement clair maintenant. Tout se passait comme si tout était arrivé très longtemps auparavant et pourtant hier. Elle désirait désespérément revoir sa famille et surtout son père et sa mère. Oh ! comme ils lui manquaient ! Avaient-ils été désespérés quand elle avait disparu ? Elle avait vraiment besoin de savoir qu'ils allaient bien maintenant.

— Nous nous faisions tellement de souci pour toi, était en train de lui dire Imogene.

— Je crois que c'est le choc de te revoir qui a fait revenir ma mémoire, lui répondit-elle. Mais comment as-tu fait pour me reconnaître dans toute cette foule ?

— Je l'ignore. Mais un peu plus tôt aujourd'hui, j'ai dit à Raf que je désirais retourner à la fête de Thanksgiving. Je ne peux pas l'expliquer, mais j'avais l'impression d'y être poussée.

Elle jeta un coup d'œil à son mari puis son regard revint vers sa sœur.

— Et puis je t'ai vue. J'ai eu si peur, surtout quand j'ai compris que tu ne voulais pas croire que tu étais ma sœur.

La tension du moment maintenant dissipée, Victoria se mit à rire.

— C'était plutôt stupéfiant, poursuivit-elle. Je t'entends encore répéter sans cesse mon nom.

Elle serra la main de sa sœur.

— Oh, Genie, je suis si heureuse que tu aies insisté.

Elle attira sa sœur plus près d'elle et passa la main dans les cheveux courts et blonds d'Imogene.

— Laisse-moi te regarder. Tu es magnifique. Je n'arrive pas à croire que j'ai manqué cinq années de ta vie.

Imogene, qui retenait ses larmes, l'étreignit farouchement.

— Tori, ma chérie, c'est si bon de te revoir.

Elle perdit la bataille des larmes qui bientôt sillonnèrent ses joues. Elle se tamponna vivement les yeux, renifla et rougit. Victoria lui serra la main et s'efforça de sourire.

— Je ne peux pas te dire à quel point je trouve génial de te reconnaître. C'est même encore mieux que de savoir qui je suis.

Elle se mit alors à pleurer, mais les larmes qu'elle versait étaient des larmes de joie.

Imogene fit un pas en arrière et tira la main de Raf pour l'attirer à côté d'elle.

— Voici mon mari, Raf Shakir. Nous nous sommes mariés tout récemment et nous vivons dans un haras près de Cotton Creek.

— Je suis ravie de faire votre connaissance, dit Victoria en tendant la main à l'homme brun et dynamique.

— Croyez-moi, répondit-il, c'est moi qui suis le plus heureux. Genie m'a si souvent parlé de vous. Vous lui ressemblez beaucoup. Il n'est pas difficile de croire que vous êtes une Danforth. Vous êtes ravissante.

Victoria sourit de nouveau. A constater sa bonté et sa sincérité, elle était certaine qu'elle allait beaucoup apprécier son beau-frère. En outre, il adorait sa sœur, il suffisait de le voir regarder Imogene pour s'en rendre compte.

— Alors voilà pourquoi tu étais à la fête ? Parce que tu habites tout près ? reprit Victoria, curieuse de savoir comment sa sœur était venue en ville.

Il était plutôt déconcertant de se dire qu'Imogene avait vécu si près d'elle et que leurs chemins ne s'étaient jamais croisés.

— Un peu plus tôt aujourd'hui, nous avons assisté au mariage de Marcus et de Dana, expliqua sa sœur.

— Mais qui est Dana ? la coupa Victoria.

Imogene lui raconta en bref comment Dana et leur cousin Marcus s'étaient rencontrés. Au lieu de rester au dîner et aux festivités qui avaient suivi leur mariage, son époux et elle étaient partis assister à la célébration de Thanksgiving à Cotton Creek.

— Nous avions promis à quelques amis de nous retrouver là-bas, ajouta-t-elle.

Elle eut un léger rire et regarda son mari.

— Ils doivent sans doute se demander ce que nous sommes devenus.

Une fois de plus, les yeux de Victoria s'emplirent de larmes. Elle avait de la difficulté à maîtriser ses émotions.

— Marcus est marié ? Mon Dieu, Genie, comme cela me paraît étrange, avoua-t-elle. J'ai l'impression de te connaître sans te connaître.

— Doucement, chérie, dit Imogene. Sois patiente. Le médecin nous a dit qu'il te faudrait un certain temps avant de te réapproprier ton ancienne vie. Tu as pas mal de choses à rattraper, tu sais.

Un mouvement à l'autre bout de la pièce attira l'attention de Victoria. Son regard se posa sur David, adossé au mur. A quoi pouvait-il bien penser ? se demanda-t-elle. Durant des années, il avait cru, comme elle, qu'elle n'était qu'une enfant des rues, une inadaptée. Mais ce n'était pas vrai. Elle était une Danforth. Elle avait un foyer, une famille aimante.

— Avez-vous fait la connaissance de David ? demanda-t-elle à Imogene et à Raf.

Elle lui tendit la main et David vint à son chevet. Il lui saisit la main et se pencha tout près de son visage.

— Eh, murmura-t-il, tu m'en as fait une peur !

— Je suis désolée, dit-elle sans trop savoir quoi répondre.

Que ressentait David pour elle, maintenant qu'il connaissait sa véritable identité ? En secret, elle se moqua d'elle-même. Qui croyait-elle tromper ? Pourquoi se poser la question, du reste ? Même si leur relation était devenue très intime, il ne lui avait jamais confessé d'autres sentiments pour elle que du désir. Elle le regarda droit dans les yeux. Son expression ne lui laissait pas deviner ses pensées.

— Nous avons parlé pendant que le docteur t'examinait, lui répondit Imogene. David nous a expliqué que tu vivais avec son père il y a encore très peu de temps. Je sais que tu l'as perdu récemment. J'en suis tout à fait navrée, chérie, dit-elle en caressant le bras de sa sœur.

A l'évocation d'Edward, Victoria se remit à pleurer avant d'essuyer ses larmes du revers de la main.

— Edward, le père de David, a été merveilleux pour moi, dit-elle. Il m'a offert un toit et un emploi, et aussi un avenir. Il m'a donné la sécurité dont j'avais tant besoin quand je n'avais plus rien.

— Je regrette qu'il ne soit plus ici pour que nous puissions le remercier, commenta Imogene.

Elle regarda David.

— C'était très généreux de sa part. Sachez que notre famille en est très reconnaissante.

Sans mot dire, David hocha la tête.

— Comment vont papa et maman ? questionna Victoria, en essuyant ses larmes.

Cinq ans. Elle avait perdu cinq années de sa vie. Comment allait-elle s'en remettre ? Etait-ce si important, après tout ? Elle était revenue à son point d'ancrage. Mais était-ce bien vrai ? Car elle éprouvait la curieuse impression de n'être pas à sa place. Même si elle avait un cadre de vie à réintégrer, il lui paraissait étrange de devoir s'arracher à celle à laquelle elle s'était accoutumée.

— Ils sont en route, répondit Imogene, interrompant ses pensées. Ils vont arriver bientôt.

— Je suis tellement impatiente de les retrouver. Est-ce qu'ils savent que je vais bien ?

La main d'Imogene effleura la joue de sa sœur.

— Oui, chérie, et aussi toute la famille maintenant, j'en suis convaincue.

— Parle-moi d'eux, je t'en prie, demanda Victoria qui voulait tout savoir de ce qu'elle avait manqué.

Imogene s'exécuta et évoqua pour sa sœur leurs parents et leurs cousins, Jacob, son frère aîné, et son épouse Larissa.

— Ils ont un fils de trois ans, précisa-t-elle.

Devant l'expression surprise de Victoria, elle ajouta :

— C'est une longue histoire, mais en gros, il faisait ses études en même temps qu'elle et ignorait qu'elle attendait un enfant. Désormais, ils sont très heureux. Ils attendent avec impatience que nous te ramenions.

— Et Tobias ? demanda Victoria, pensant à son plus jeune frère.

Sa sœur arbora un large sourire.

— Encore une autre longue histoire. Il a eu un fils d'un premier mariage, Dylan, et il vit maintenant avec sa nouvelle femme, Heather.

— Oh, mon Dieu ! s'exclama Victoria, dépitée. J'en ai manqué des choses !

Imogene lui toucha légèrement la main.

— Tori, je veux que tu saches que jamais nous n'avons cessé de te rechercher. Papa, maman, nous tous ne voulions pas perdre l'espoir de te revoir un jour.

Elle laissa de nouveau ses larmes couler.

— Ce qui est arrivé... eh bien, je m'en veux tellement. C'était ma faute et j'en suis désolée.

Victoria, qui pleurait aussi, saisit des mouchoirs en papier sur sa table de nuit, lui en passa quelques-uns et se tamponna elle-même les yeux.

— Ta faute ? Que veux-tu dire ?

— J'aurais dû t'accompagner. Jacob t'avait donné ces billets pour le concert uniquement parce que je pensais y aller avec toi. Si je l'avais fait, rien de tout cela ne serait arrivé.

Elle éclata en sanglots. Raf l'attira à lui et la laissa sangloter contre son épaule. Lorsqu'elle se fut un peu reprise, elle tourna le regard vers sa sœur.

— Pardonne-moi, s'il te plaît.

— Je n'ai rien à te pardonner, Genie. Ce n'était pas du tout ta faute mais la mienne. C'est moi qui ai invité Tanya.

Le souvenir était maintenant si vivace dans son esprit. Elle aurait pu jurer que tout cela s'était seulement passé la veille.

— Je ne la connaissais pas depuis très longtemps, mais elle avait l'air d'avoir besoin d'une amie, expliqua-t-elle.

Imogene eut une sorte d'éclat de rire.

— Tu as toujours eu un grand cœur !

Elle regarda David.

— Elle voulait toujours s'occuper de tout le monde. Si l'un de nous était malade, Tori était aux petits soins avec nous et nous dorlotait jusqu'à notre guérison.

— Eh bien, cette fois les rôles sont renversés. Après le concert, Tanya et moi nous sommes dirigées vers la voiture. Je l'ignorais, mais elle avait prévu de prendre le large ensuite, avec son petit ami. Il l'attendait à l'extérieur de la salle de concert. Elle m'a demandé de les emmener jusqu'à la station de bus. Cela m'ennuyait un peu, mais je lui ai dit que je le ferais.

Tori croisa le regard attentif de sa sœur.

— Ce que je ne savais pas, c'est qu'ils avaient l'intention de me voler ma voiture.

— Oh, mon Dieu ! s'exclama Imogene.

— En route, le petit ami de Tanya m'a demandé de m'arrêter à une boutique. Je ne voulais pas, mais il se comportait assez bizarrement, comme s'il était drogué ou ivre. Alors, j'ai fait ce qu'il me demandait. Au moment où nous revenions vers la voiture, il m'a pris les clés et m'a obligée à m'asseoir à l'arrière. C'est là que j'ai compris à quel point j'étais dans le pétrin. Alors, il a quitté l'autoroute. Il a tourné plusieurs fois et, à la fin, je n'ai plus su où nous étions. J'ai décidé de réagir et de ne pas les laisser s'en tirer comme ça. J'ai commencé à discuter avec lui et, comme il ne voulait pas m'écouter, je l'ai frappé sur l'épaule. Alors là, il s'est vraiment mis en colère. Il a arrêté la voiture et m'a dit de descendre.

Victoria battit des paupières puis se rembrunit au souvenir très vif de cette affreuse nuit.

— J'ai trébuché et je suis tombée et c'est la dernière chose dont je me souvienne.

David prit la suite de son histoire.

— Les médecins qui l'ont examinée ont dit qu'elle avait eu un traumatisme crânien. Ils ne savaient pas comment c'était arrivé.

Il considéra Victoria.

— Cela a dû se passer quand tu es tombée.

Elle hocha la tête et, sourcils froncés, demanda :

— Mais vous auriez pu apprendre tout cela de Tanya, non ?

Imogene secoua la tête.

— Non, chérie. Nous avons loué les services d'un détective pour te rechercher, mais ni lui ni la police n'ont jamais pu retrouver ta voiture. C'était comme si tu t'étais évaporée de la surface de la terre. La seule information qu'ils aient pu obtenir était que Tanya Winters vivait dans un foyer et qu'elle était devenue amnésique.

Soudain, elle écarquilla les yeux.

— Mon Dieu ! Ce devait être toi dont ils parlaient ! Ensuite, le détective a essayé de la repérer pour vérifier toute l'histoire et savoir si elle se rappelait au moins un détail, mais les autorités avaient perdu sa trace.

Elle se tourna vers Raf, puis vers sa soeur.

— Dire qu'il a suivi la bonne piste depuis le début et que nous n'avons jamais pu imaginer que Tanya, c'était *toi* !

— Quand la police a trouvé Victoria, reprit David, elle avait les papiers de Tanya sur elle.

— Et c'est pourquoi j'ai cru que j'étais Tanya, reprit Tori. Le pire est que, pour nous amuser, nous avions teint nos cheveux en roux et échangé nos vêtements.

Elle eut un rire amer.

— Eh bien, j'ai appris une dure leçon. Maman m'avait dit de ne pas m'habiller comme Tanya pour aller au concert. J'aurais dû l'écouter.

Epuisée, elle posa la tête en arrière sur le lit. David scruta son visage puis se tourna vers Imogene.

— Pourriez-vous m'accorder quelques minutes, seul avec elle ?

— Bien sûr, répondit-elle d'une voix douce.

Puis elle ajouta à l'adresse de sa sœur :

— Nous sommes tout près, si tu as besoin de nous.

David attendit que la porte se ferme derrière eux puis, sans pouvoir s'en empêcher, il effleura les lèvres de Victoria d'un baiser. Soucieux de ne pas la perturber, il recula et observa ses traits. Elle paraissait fatiguée, mais elle était toujours aussi belle.

— Comment te sens-tu réellement ? demanda-t-il en lui prenant la main.

— Dépassée, avoua-t-elle.

Elle respira profondément puis expira très doucement et son cœur battit plus vite.

— Je n'arrive pas à croire à tout ce qui m'arrive.

Victoria avait encore le goût du baiser de David sur ses lèvres et souhaitait que cette marque d'affection traduise un peu plus que de l'inquiétude.

— Je me souviens de tout maintenant, dit-elle, mais c'est difficile de faire le tri.

Elle prit un verre d'eau sur la table à côté du lit et but une gorgée.

— Un moment, je m'appelle Tanya, et l'instant suivant, je suis Victoria Danforth. Je ne sais plus que penser.

David lui caressa le front.

— Le médecin a dit que tu serais un peu perturbée pendant quelque temps, et que tu dois beaucoup te reposer dans les prochains jours. Tu as subi un choc important. N'essaie pas de tout te rappeler tout de suite.

Victoria reprit sa main et se rassit.

— Je ne peux pas m'en empêcher. Tout cela me paraît tellement irréel. Je voudrais tout savoir, mais tout se mélange dans ma tête. En outre, je ne peux pas me retenir de songer à tout le temps que j'ai perdu. J'ai l'impression qu'il y a deux personnes en moi.

Elle se mit à trembler.

— J'ai si peur.

David lui caressa le dos.

— Tori, je te promets que je ne laisserai rien t'arriver.

Le regard de Victoria croisa le sien. Comme c'était étrange d'entendre son nom sur ses lèvres !

— *Tori*, répéta-t-elle.

Même dans sa propre bouche, cela sonnait étrangement. David lui lança un regard résolu.

— Je ne peux plus t'appeler Tanya. Victoria est un beau prénom, mais il ne me paraît pas convenir.

« A cause de ce que nous avons vécu ensemble, à cause de ce que nous avons partagé », aurait-il voulu préciser. Il s'en abstint et la laissa méditer ses paroles avant de demander :

— Alors, cela ne t'ennuie pas si je t'appelle Tori ?

— C'est gentil.

— Je suis sérieux, tu sais, dit-il d'une voix grave. Je ne veux pas que tu te sentes menacée d'aucune manière. Je ne laisserai personne te faire du mal.

Oh, comme Victoria avait envie de le croire ! Envie de croire qu'il prendrait soin d'elle à jamais... parce qu'il le désirait, et non parce que son père le lui avait fait promettre. Hormis cela, elle n'était sûre de rien. Ses deux univers étaient entrés en collision et sa vie, telle qu'elle l'avait connue, avait changé pour toujours. Bientôt, son père et sa mère allaient arriver. Il était probable qu'ils souhaiteraient la ramener à Savannah. Elle désirait bien sûr y aller, revoir ses frères avec leurs femmes et leurs enfants, recoller tous les morceaux de leur vie qu'elle avait manqués.

Elle avait cru être heureuse de passer toute son existence à Cottonwood, mais en faisait-elle encore partie ? Avec tristesse, elle regarda la vérité en face. Il n'y avait pas de place pour elle dans la vie de David. Il n'avait jamais laissé entendre qu'il pourrait y avoir entre eux quelque chose de permanent. Il avait fait une promesse sur le lit de mort de son père et il lui avait affirmé qu'il la tiendrait. Elle se rappela la première fois où il était revenu à la plantation. Il était prêt à l'envoyer à l'université pour se débarrasser de sa présence. Peut-être était-il plus à l'aise maintenant avec elle en raison de leur intimité charnelle ? Cela n'impliquait en rien qu'il éprouve un sentiment pour elle au fond de son cœur. Le fait d'être devenus amants avait seulement compliqué les choses entre eux, parce qu'elle était tombée amoureuse de lui. Mais lui ne l'aimait pas. En fin de compte, il n'y avait rien de changé dans leur relation.

David ne comptait pas s'attarder à la plantation plus longtemps que prévu. Elle l'avait entendu de sa propre bouche en surprenant sa conversation avec Justin. Sa vie était à Atlanta. Elle l'avait su avant le retour de sa mémoire. La retrouver lui facilitait encore davantage la décision qu'elle avait déjà prise. En outre, même si cela lui faisait mal de l'admettre, elle-même appartenait à sa famille, à Savannah. Du reste, avant les derniers événements, n'avait-elle pas projeté de quitter Cottonwood parce qu'elle ne pouvait plus rester avec l'homme qu'elle aimait ? Maintenant, elle savait où se réfugier. Chez elle, à Savannah.

— Je ne suis plus sous ta responsabilité, dit-elle à David en rassemblant tout son courage.

Le choix de ses mots fit grimacer David.

— Nous sommes allés bien au-delà, tu ne crois pas ?

— Parce que nous étions amants ? demanda-t-elle avec un calme surprenant.

Le regard de David se durcit. Pourquoi avait-elle employé l'imparfait ? « Nous *sommes* amants », songea-t-il. Pensait-elle donc déjà à eux au passé ? Il étudia son expression et, soudain, un sentiment étrange pesa sur sa poitrine. Il était en train de la perdre. Tout ce qu'il avait toujours désiré, il l'avait trouvé chez cette femme, mais il ne s'en était pas rendu compte à temps. Désormais, elle n'avait plus besoin de lui. Sa terreur s'accrut.

— Je t'aime, dit-il.

Tori détourna le regard et le désespoir s'installa en lui.

— C'est la vérité, insista-t-il d'un ton farouche.

Il lui prit le visage au creux de sa paume et le retourna vers lui, puis lui souleva le menton. Il voulait qu'elle le regarde en face.

— Tori, je...

— Non, dit-elle en repoussant sa main. Ne fais pas ça, David. Plus maintenant.

Elle serra les lèvres et souhaita de toutes ses forces que les mots prononcés par David viennent de son cœur. Mais elle ne se faisait pas d'illusion. Quand elle s'appelait Tanya, elle ne faisait pas partie de son univers. Maintenant, parce qu'elle s'appelait Victoria Danforth, une héritière, les choses avaient changé. Pourquoi n'avait-il pas avoué ses sentiments lorsqu'elle était encore une fille des rues ? Pourquoi maintenant ? L'aimait-il vraiment ? Il devait sans doute s'en persuader, mais elle ne serait pas assez sotte pour le croire.

— Je suis désolée, David, dit-elle. Tout a changé maintenant. Tout cela...

D'un geste, elle désigna la chambre autour d'eux.

— Apprendre qui je suis, découvrir ce qui m'est arrivé, c'est trop. Je crois qu'il vaudrait mieux que tu me ramènes à la plantation pour que je fasse mes bagages. J'aimerais être prête à repartir avec mes parents dès leur arrivée.

Stupéfait de la requête, David fit un pas en arrière.

— Tu ne peux pas penser ce que tu dis ! Tu fais partie de Cottonwood.

La déception montait, vertigineuse, en lui. Il ne parvenait pas à croire qu'elle veuille s'en aller.

— La plantation, murmura Tori avec un soupir. C'est bien elle que tu as toujours désirée ?

David ne pouvait le nier, mais il voulait bien davantage maintenant. Il voulait Victoria. Il avala péniblement sa salive.

— Oui, c'est vrai, mais…

— Elle est à toi, dit-elle d'une voix dénuée d'émotion. Les clauses du testament stipulaient que je pouvais rester aussi longtemps que je le voudrais. Si je m'en vais, la plantation t'appartiendra, en toute propriété.

Elle reprit son souffle.

— Alors maintenant, tu auras ce que tu as toujours désiré. La plantation de ta famille, et moi, hors de ta vie.

Les lèvres de David se retroussèrent sur un sourire ironique.

— Tu crois vraiment que c'est ce que je veux ? Cette maudite plantation ?

Au lieu de lui répondre, elle dit simplement :

— Maintenant, j'aimerais bien m'habiller, s'il te plaît. Voudrais-tu appeler Genie pour qu'elle vienne m'aider ?

— Tori…

— S'il te plaît.

Du regard, elle lui signifia de la laisser. Elle lui avait déjà abandonné son cœur. Si elle s'en allait, elle voulait au moins garder le respect d'elle-même.

— Je ne peux pas rester, David.

Pas avec le doute qu'elle avait au fond du cœur. Puisqu'elle ne saurait jamais s'il l'aimait pour elle-même.

12.

David était assis devant le bureau de son père, le cœur serré. Il n'arrivait pas à croire que Victoria allait quitter comme ça la plantation. Qu'elle allait *le* quitter. Il lui avait dit qu'il l'aimait, mais son aveu n'y avait rien fait. Elle avait retrouvé son ancienne vie maintenant. Elle était issue d'une famille fortunée, une famille qui l'aimait et souhaitait son retour au bercail. Oui, tout avait changé depuis le moment où elle avait appris sa véritable identité.

David enfouit sa tête entre ses mains et fouilla son esprit à la recherche de ce qui serait susceptible de faire changer Victoria d'avis. Jusqu'à aujourd'hui, seul Cottonwood avait compté pour elle et David aurait pu parier sur sa vie que rien ne l'en détournerait. Mais Victoria était une héritière. Elle pouvait faire ce qu'elle voulait, aller où elle le désirait.

Elle n'avait plus besoin de la plantation.

Plus besoin de lui.

Il ne pouvait s'en prendre qu'à lui-même. Comme un imbécile, il avait choisi le pire moment pour lui ouvrir son cœur. Victoria venait d'éprouver le plus grand choc de sa vie et, parce qu'il avait eu peur de la perdre, il lui avait avoué son amour. Il n'était guère étonnant qu'elle ne l'ait pas cru. Même à ses propres oreilles, sa voix avait un ton superficiel. Tori avait toujours pensé qu'il n'en voulait qu'à la plantation et, s'il était honnête avec lui-même, c'était vrai. Son retour chez lui avait été comme une catharsis. Il avait appris qu'il aimait Cottonwood et désirait poursuivre son exploitation de manière prospère… pour son père.

En comprenant cela, il sentit le poids dans sa poitrine s'alléger. Le sentiment d'amertume qu'il avait éprouvé pour son père depuis si longtemps s'était évanoui. Grâce à Victoria. La jeune femme était responsable de ce changement. Après sa rupture avec Melanie, David avait pensé qu'il ne referait plus jamais confiance à une femme. Mais Victoria avait abattu les barrières dont il avait entouré son cœur. Grâce à elle, il avait aperçu une autre facette de la personnalité du père dont il avait été si distant. Elle lui avait appris que, s'il voulait poursuivre sa vie, il devait se débarrasser de sa rancœur envers lui.

David se leva et gagna la fenêtre à grandes enjambées. Dès le début, Edward avait deviné quelque chose de particulier chez Tanya. David ne savait pas pourquoi et maintenant il ne le saurait jamais. Mais c'était la raison pour laquelle Edward l'avait accueillie, s'était occupé d'elle et l'avait encouragée. Il lui avait fait confiance pour s'occuper de la plantation en l'absence de son fils. Telle était la raison pour laquelle il avait demandé à David de prendre soin d'elle. Son père avait su que Victoria aurait besoin de lui.

David soupçonnait également qu'Edward savait que lui aussi aurait besoin d'elle. Seulement, Victoria l'ignorait parce que David, croyant protéger son cœur meurtri, ne lui avait pas confié suffisamment tôt ce qu'il ressentait pour elle.

Il n'était pas question qu'il la laisse partir sans se battre !

Il avait essayé encore une fois de lui parler quand ils étaient revenus à Cottonwood, mais Imogene avait accaparé sa sœur pour lui rappeler des souvenirs et la mettre au courant de tous les changements survenus chez les Danforth depuis sa disparition. David n'avait pas voulu les en empêcher et s'était enfermé dans son bureau. Seulement, il lui était impossible de laisser Victoria s'en aller sans lui avoir parlé.

Il ne pourrait vivre sans elle.

Victoria regardait au-dehors par la fenêtre de la chambre qu'elle avait occupée depuis qu'Edward l'avait recueillie. D'ici à quelques instants, ses parents allaient arriver. Malgré son envie de les revoir, chaque minute qui s'écoulait la faisait frissonner d'angoisse. Chacune d'elle en effet la rapprochait de plus en plus du moment où elle devrait quitter David.

Une fois sa décharge signée par le médecin, elle s'était habillée et avait quitté l'hôpital. Pendant qu'elle réglait les derniers détails, la presse avait investi tout le secteur et le personnel hospitalier l'avait aidée à sortir par une issue privée afin d'éviter la horde des reporters qui campait juste devant les portes de l'établissement. Victoria savait qu'elle serait quand même obligée d'affronter les médias, mais elle n'avait pas la force de le faire maintenant. Surtout pas quand toutes ses émotions étaient à fleur de peau. Elle avait besoin de temps pour assumer tout ce qui venait de lui arriver. De temps pour surmonter l'épreuve qu'allait être le fait de quitter David.

Elle refoula les larmes qui lui montaient aux yeux. Imogene avait joint leurs parents sur son portable pour leur indiquer le chemin de la plantation et leur répéter que Victoria allait très bien.

Très bien ? Elle esquissa un sourire amer. Jamais plus elle n'irait bien parce qu'elle abandonnait son cœur ici. Avec David.

— Tout va être différent quand tu seras chez toi.

Au son de sa voix, Victoria se figea. Elle se retourna et leurs regards se croisèrent. David se tenait dans l'embrasure de la porte, comme une apparition. Son expression était sérieuse et tendue, et elle se sentit fondre sous son regard. Comment parviendrait-elle jamais à se passer de lui ?

— Tu as probablement raison. Beaucoup de choses ont dû changer à Savannah.

— Je ne parle pas de Savannah, Tori.

David traversa la pièce avant de s'arrêter à seulement quelques centimètres d'elle.

— C'est toi qui as changé. Tu n'es plus la même que celle que tu étais quand tu es partie.

Il avait raison, songea-t-elle. Maintenant, elle était une femme et elle savait ce que signifiait d'être aimée de lui.

— Je le suppose. Mais Savannah est mon foyer.

— Tu te trompes, Tori. C'est ici ton foyer.

— Non.

Des larmes lui brouillèrent la vue et elle secoua la tête.

— Cottonwood est à toi, pas à moi, David. La plantation t'a toujours appartenu.

David lui caressa le visage de la paume de sa main.

— A un certain moment, reconnut-il en haussant les épaules, je l'ai cru. Quand je suis revenu ici, j'étais décidé à te faire déguerpir le plus vite possible.

— Je le sais, répliqua-t-elle d'une voix calme. Mais je peux te jurer que je n'ai jamais voulu te prendre ni Cottonwood ni ton père.

David inspira longuement pour chasser la boule qui s'était formée dans sa gorge.

— Je ne l'ai jamais réellement pensé.

Tori haussa les sourcils.

— Vraiment ?

— J'essayais de me débarrasser de toi parce que j'étais diablement attiré vers toi et que je ne le voulais pas.

Saisie par l'aveu, Tori le regarda fixement, l'air incrédule.

— Cela te surprend, Tori, que j'aie pu te désirer ?

Il se rapprocha encore et son odeur masculine flotta autour d'elle. Il l'enlaça dans une chaude étreinte et l'attira contre lui.

— Oui, chuchota-t-elle.

Elle voulait tellement le croire…

— Je t'ai désirée à peine revenu dans cette maison. En fait, je te désirais depuis des années. Lorsque je vivais à Atlanta, j'ai pensé souvent à revenir pour toi, mais je craignais la colère de mon père si je m'installais ici.

Victoria scruta son visage. Son regard était calme, son expression grave. Il lui disait la vérité.

— Je l'ignorais, balbutia-t-elle.

Elle n'en avait eu aucune idée lorsqu'il était parti, cinq ans auparavant. Aujourd'hui, elle le croyait. Mais désirer, c'était différent d'aimer. Même si cela lui faisait mal, elle ne pouvait rester ici. Pas sans son amour.

— Je ne voulais pas que tu saches ce que je ressentais pour toi, poursuivit-il. Pour être honnête, j'avais été blessé d'abord par mon père, ensuite par Melanie. Je ne pensais plus pouvoir faire confiance à personne.

— Et pourquoi le pourrais-tu maintenant ?

— Tu ne ressembles à aucune autre femme, Tori. Tu m'as montré comment me débarrasser du ressentiment que j'éprouvais pour mon père. Tu m'as appris à lui pardonner.

Victoria s'humecta les lèvres et le fixa.

— Tu sais, il t'aimait. A sa manière.

— Je le sais maintenant. Comme je sais que je peux te faire totalement confiance.

— Vraiment, David ?

— Tu m'as appris autre chose. Tu m'as enseigné à aimer de nouveau.

Un espoir fou envahit Tori. Elle avait tellement envie de le croire.

— Je veux te croire, murmura-t-elle.

— Tori, je t'aime. Je t'en prie, ne m'abandonne pas.

La chaleur du corps de David se répandait dans ses veines. Le cœur battant à coups redoublés, elle leva les mains vers son visage.

— Tu m'aimes vraiment ? demanda-t-elle, parcourue d'un frisson.

David plongea son regard dans le sien et l'entoura de ses bras. Baissant la tête, il lui effleura les lèvres. Ensuite, il se redressa en la maintenant serrée contre lui.

— Oui, mon cœur, et je veux passer le restant de ma vie à te le montrer.

Les yeux de Victoria s'emplirent de larmes.

— Oh, David, je t'aime, moi aussi. Et depuis si longtemps !

Elle lui passa les bras autour de la taille. David émit un soupir de soulagement. Le corps de Victoria serré contre lui, il se sentit délivré de la tension qui pesait sur lui. Il lui donna un baiser incandescent, puis il leva la tête.

— Je pensais qu'il était trop tard, avoua-t-il, et que tu allais me quitter.

Elle leva la tête vers lui avec un sourire.

— C'est vrai. Quand tu m'as dit à l'hôpital que tu m'aimais, je ne t'ai pas cru.

Il lui donna un autre baiser.

— Il m'a fallu un sacré bout de temps avant d'admettre ce que je ressentais pour toi. Mais quand Imogene s'est retrouvée face à face avec toi à la fête de Thanksgiving, et qu'il est devenu clair que tu étais réellement sa sœur, j'ai compris que je pouvais te perdre. J'ai été tellement bête. J'aurais dû te dire depuis bien longtemps que j'étais amoureux de toi. Quand la mémoire t'est revenue, je t'ai vue glisser peu à peu hors de ma vie et j'ai commencé à avoir peur.

Tori l'embrassa sur la joue.

— Apprendre qui j'étais a été un tel choc.

— Pour tous les deux, renchérit David en resserrant son étreinte. Je sais que tu as envie maintenant de retrouver ta famille. Bien que je désire garder Cottonwood, je suis prêt à aller vivre à Savannah pour être avec toi.

Les yeux agrandis, Tori s'écarta de lui pour mieux le dévisager.

— Tu viendrais t'installer à Savannah ? Et ton projet de retourner à Atlanta ?

— Je n'ai pas l'intention de retourner à Atlanta.

— Mais je t'ai entendu le dire. Hier. Tu étais au téléphone avec Justin et je t'ai entendu lui affirmer que tes plans n'avaient pas changé. J'ai supposé que tu entendais regagner Atlanta quand les clauses du testament seraient remplies.

Un éclair de compréhension illumina le regard de David.

— Alors c'est pour cela que tu es soudain devenue si distante ? La raison pour laquelle tu voulais revenir si vite à Cottonwood ?

Elle hocha la tête.

— Eh bien, oui.

— Chérie, cette conversation n'avait aucun rapport avec toi, ni avec nous deux. Il ne s'agissait que d'affaires.

— Tu en es sûr ?

— Crois-moi, mon amour, mon seul projet est de vivre avec toi où tu voudras.

— Oh, David, je t'aime tellement !

Dans tous ses rêves elle n'aurait jamais cru que sa vie tournerait de cette manière. Elle était arrivée à Cottonwood seule et en pleine confusion, toute mémoire abolie, et, dès l'instant où ses yeux s'étaient posés sur David, il lui avait pris le cœur. Maintenant, elle avait recouvré la mémoire, sa famille et l'amour de David. Le conte de fées devenait réalité.

— Que va devenir ta société à Atlanta ? demanda-t-elle.

— J'ai passé le commandement des opérations courantes à Justin. Il est plus que capable de diriger la société. Quand tu auras pris le temps de refaire connaissance avec ta famille, j'aimerais que tu reviennes ici et que nous nous y installions.

Le cœur de Victoria bondit et son pouls battit plus vite.

— Vivre ici ? soupira-t-elle. A Cottonwood ?

— Depuis mon retour, j'ai appris pas mal de choses. J'ai accepté le fait que mon père ne pouvait rien changer à ce qu'il était.

— Je crois que la mort de ta mère lui a brisé le cœur. Il ne s'en est jamais remis. Mais il t'aimait, David. Comme toi, il ne voulait plus confier son cœur à personne, même pas à son propre enfant.

— Je le sais. Je suis désolé qu'avant sa mort nous n'ayons pu parvenir à effacer ce qui nous séparait. Mais je crois que nous sommes parvenus à un… apaisement de notre relation.

— C'est exact, répliqua Tori.

Mais Tori se sentait mal à l'aise avec la décision de David de rester à Cottonwood. Accepter le passé et vivre dans la maison de ses ancêtres étaient deux choses différentes. Elle ne voulait surtout pas qu'il en vienne à regretter son choix.

— Es-tu certain de vouloir faire ta vie à Cottonwood ? insista-t-elle.

— C'est ici que je suis tombé amoureux de toi, Tori. Je veux vivre ici, avec toi, le reste de ma vie.

David s'empara de sa main et posa un genou à terre devant elle.

— Je t'aime. Veux-tu m'épouser ?

Emue aux larmes, elle le fixa d'un air incrédule.

— Oh, oui, oui, oui !

Elle le fit se relever et s'écarta un peu de lui pour plonger son regard dans le sien.

— Seulement…

Il la contempla, l'œil interrogateur.

— Seulement quoi ?

— Cette maison est immense, dit-elle avec un sourire malicieux. Que dirais-tu de la remplir d'enfants ?

David se mit à rire et l'embrassa, avide.

— A mon avis, nous devrions commencer tout de suite. Que dirais-tu d'abréger nos fiançailles ?

Épilogue

Vêtue d'une éblouissante robe blanche qui lui laissait les épaules nues, Victoria traversa la foule rassemblée dans la salle de bal de l'un des plus grands hôtels de Savannah. On fêtait ce jour-là l'élection de l'oncle Abraham au Sénat et la musique jouée par un grand orchestre se mêlait au brouhaha continu des conversations.

Que le temps avait passé vite depuis l'arrivée de ses parents à la plantation ! Leurs retrouvailles avaient été merveilleuses. Une fois passés les premiers moments d'excitation, Tori et David les avaient informés de leur projet de mariage.

Tout s'était finalement bien passé, songea Tori en poussant la porte des toilettes. Ses parents, Harold et Miranda, avaient réagi avec enthousiasme et accepté la décision de leur fille qu'ils avaient quitté adolescente et qui leur était rendue adulte. David avait passé du temps avec eux. Ils avaient appris à le connaître et étaient ravis à la pensée qu'il devienne leur gendre. En fait, au cours des derniers jours, David avait été pleinement accepté par l'ensemble de la famille Danforth. Victoria, accompagnée de David, était retournée à Savannah et, ensemble, ils avaient rendu visite à ses frères et à leur famille ainsi qu'aux nombreux cousins qui, tous, leur avaient manifesté encouragements et affection.

Il avait aussi fallu quelques jours seulement à Victoria pour s'apercevoir que la plantation lui manquait. David et elle étaient donc retournés à Cottonwood afin d'y retrouver la paix et le calme de la campagne. Du moins l'avaient-ils naïvement cru. Car les médias, déchaînés par ce formidable scoop, les avaient harcelés, faisant le pied de grue devant leur maison, et Victoria avait été obligée de tenir une conférence de presse pour essayer de calmer le jeu. Elle n'avait pourtant pas entièrement réussi à éteindre leur soif d'information et le téléphone avait continué à sonner sans répit.

David avait alors décidé de louer les services d'une personne capable de les représenter et de répondre à leur place aux interviews. Puis ils avaient pris une décision qui, sans nul doute, allait prendre la famille par surprise quand ils lui annonceraient la nouvelle, ce soir même.

Victoria finissait de se laver les mains lorsqu'elle entendit quelqu'un entrer dans les toilettes réservées aux dames. Levant les yeux, elle aperçut Nicola Granville, la directrice de campagne de son oncle.

Elle sourit à la belle femme rousse qu'elle avait rencontrée un peu plus tôt dans la soirée.

— Victoria ! Comment allez-vous ?

— Je vais très bien. Merci de vous en inquiéter.

— Nous n'avons pas encore eu l'occasion de bavarder. J'aimerais que vous sachiez à quel point je suis heureuse de votre retour au sein du clan des Danforth.

Victoria lui adressa un sourire chaleureux.

— Merci. J'espère que ma réapparition n'aura pas déclenché une publicité contraire aux intérêts de mon oncle ?

— Sûrement pas. Je l'ai entendu plaisanter et dire que cela lui avait attiré la sympathie des électeurs.

Elle se mit à rire.

— Non, sérieusement, Abraham est ravi de votre retour à la maison saine et sauve. Comme toute la famille, du reste. Ils ne peuvent s'arrêter d'en parler.

Elle s'interrompit soudain et porta la main à son front.

— Vous allez bien ? demanda Victoria, qui nota sa pâleur.

— Oui, oui, ça va, répondit Nicola.

Pourtant, elle était devenue plus blanche qu'un linge. Victoria se sécha les mains et se dirigea vers elle. Avant d'avoir pu ajouter un mot, Nicola posa la main contre sa bouche et regarda autour d'elle d'un air affolé. Elle poussa brusquement la porte d'une des cabines et le contenu de son estomac s'en alla dans la cuvette.

Victoria se précipita à son aide.

— Oh, mais vous n'allez pas bien du tout ! s'écria-t-elle.

Elle détacha quelques serviettes en papier du distributeur et les passa sous le robinet d'eau froide. Revenue à côté de Nicola, elle lui maintint la compresse improvisée contre le front jusqu'à ce que celle-ci se sente un peu mieux.

— Merci, lui dit alors Nicola.

Elle s'avança vers le lavabo, se rinça la bouche et se lava les mains.

— Vous devriez peut-être rester assise un instant, suggéra Victoria.

Elle sortit quelques mouchoirs en papier de son sac et les tendit à la jeune femme. Nicola avait une mine de papier mâché, mais elle secoua la tête.

— Je me sens mieux maintenant.

— Vraiment ? dit Victoria, incrédule.

Elle nota que la peau de Nicola était moite et que ses yeux s'ornaient de cernes bleuâtres.

— J'en suis certaine, répondit-elle avec un haussement d'épaules. Ce doit être le contrecoup des dernières vingt-quatre heures, voilà tout.

Victoria fronça les sourcils.

— Vous croyez ? J'espère que vous ne couvez pas quelque chose de plus grave. Il y a pas mal de grippe en ce moment. Si je peux encore faire quelque chose pour vous ?

— Non, ça va bien, merci.

— Dans ce cas, je crois que je vais retourner à la réception.

— Tout ira bien, insista Nicola. Merci encore de m'avoir aidée.

— Je vous en prie. A plus tard, alors.

Après avoir quitté les toilettes, Victoria se mit en quête de David.

— Tu me cherchais ? lui demanda-t-il en l'enlaçant comme elle revenait vers la salle de bal.

Il lui câlina le cou et elle frémit sous son étreinte.

— Toujours, répondit-elle, les yeux brillants.

— Tu vas bien ? s'enquit David.

Victoria continuait à le stupéfier par son intelligence, sa grâce et sa façon de gérer tout ce qui passait à sa portée avec un charme inné. Les journalistes lui avaient littéralement mangé dans la main.

— Je vais merveilleusement bien, dit-elle en pressant sa bouche contre celle de David. Es-tu prêt ?

— Je dois admettre que j'éprouve quelques doutes, avoua David.

— Ah, tu ne peux plus faire marche arrière maintenant, déclara-t-elle en le tirant vers la table où était assise toute sa famille. Il est trop tard.

— Tu as raison, acquiesça David. Mais ils vont avoir un sacré choc.

Ils s'arrêtèrent devant la table familiale. Il y avait là Miranda et Harold, Imogene et Raf, Jacob et son épouse Larissa, Tobias et Heather revenus un peu plus tôt du Wyoming. Au lieu de s'asseoir aussi, Victoria et David restèrent debout.

— Maman, papa, déclara Victoria, pour attirer leur attention.

Tout le monde cessa de parler et les regards se tournèrent vers eux. Victoria fit un sourire d'encouragement à David puis considéra sa famille.

— David et moi avons une annonce à vous faire.

Jacob lui fit un clin d'œil.

— Si tu viens nous dire que tu veux assister à un autre concert, la réponse est non.

Il y eut un éclat de rire général et Victoria adressa à son frère un coup d'œil faussement irrité.

— Non, répondit-elle avec un sourire, ce n'est pas ce que j'avais à dire.

Elle s'humecta les lèvres et prit une profonde inspiration.

— Ce n'est pas très facile, en vérité, alors je vais aller droit au but. David et moi allons vous fausser compagnie aujourd'hui. Nous nous sommes mariés.

Avec un sourire épanoui, elle montra sa main où brillait son alliance, un anneau d'or incrusté de diamants assorti au brillant qu'il lui avait offert quelques jours après lui avoir demandé de l'épouser.

— Mariés ? s'exclama Harold.

Miranda se leva d'un bond, faisant tomber sa chaise.

— Quoi ?

L'instant d'après, tout le monde était debout et parlait à la fois.

— Nous savons que vous êtes surpris et peut-être même déçus, déclara David. Seulement, nous ne voulions pas attendre pour échanger nos vœux.

— Cette dernière semaine a été épuisante, poursuivit Victoria sans reprendre haleine. Les médias ne nous ont pas lâchés un seul instant. Nous nous sommes dit qu'il allait falloir des mois pour que toute cette publicité retombe et que nous puissions organiser une fête de mariage sans que toute la nation se focalise sur nous.

— Je désire que vous sachiez que j'aime votre fille, affirma David, les yeux tournés vers Miranda et Harold. Elle est ce qu'il m'est arrivé de plus important dans ma vie.

Miranda sourit à travers ses larmes.

— Je ne peux pas affirmer que nous ne regrettons pas d'avoir manqué la cérémonie de mariage, mais nous comprenons. Avec l'élection d'Abraham au Sénat, et le retour de Victoria, la presse ne nous a pas non plus laissés seuls un instant.

Elle fit le tour de la table et étreignit Victoria.

— Félicitations, Tori. Je suis tellement heureuse pour toi. Tu as très bien choisi.

Harold à son tour embrassa sa fille puis serra la main de son nouveau gendre.

— Bienvenue dans la famille, dit-il, l'œil humide. Prenez soin d'elle.

David hocha la tête.

— Vous avez ma parole.

Bientôt, tout le monde congratula les nouveaux mariés. Quand l'orchestre entama une valse, David s'empara de la main de Victoria.

— Veux-tu danser avec moi ?

Elle lui sourit, les yeux brillants.

— J'adorerais.

Une fois sur la piste, il l'enlaça. Victoria lui noua les bras autour du cou et leva les yeux vers lui.

— Ça ne s'est pas si mal passé, n'est-ce pas ?

— Tes parents sont merveilleux. Je ne suis pas certain que j'aurais réagi de la même façon, si j'avais été à leur place.

— Ils m'aiment, déclara-t-elle avec simplicité.

— Moi aussi, je t'aime, Tori. De tout mon cœur.

— Je t'aime aussi.

Victoria se serra contre lui et lui tendit sa bouche. David s'en empara avec avidité au point de faire gémir Victoria de désir.

— J'ai une idée géniale, chuchota-t-elle.

— Je t'écoute.

— Je crois que nous ne manquerions à personne si nous nous éclipsions, remarqua Victoria.

Les yeux voilés par le désir, elle ondula contre lui d'une manière suggestive.

— Filons d'ici. J'ai envie de rentrer à la maison. Je ne connais pas de meilleure manière de passer la soirée.

— J'aime ta façon de penser, répondit David.

Après un dernier baiser passionné, ils quittèrent la piste. En passant devant leur table, Victoria saisit subrepticement son sac, et ils s'échappèrent dans la nuit sans que personne ne les remarque.

David s'installa au volant et prit la route du retour. La pleine lune les accompagnait.

Victoria avait la tête contre son épaule. Quelques semaines à peine auparavant, elle était seule au monde. Maintenant, elle savait qui elle était en réalité, et le vide qu'elle éprouvait au fond d'elle-même avait été comblé par l'amour et l'affection de sa famille. Et, bien sûr, par l'amour de David. Elle sentit son cœur se gonfler de joie. Elle l'avait aimé dès le premier instant et il en serait ainsi jusqu'à la fin de ses jours. Elle lui sourit d'un air rêveur et David se pencha pour l'embrasser. Comme Victoria approfondissait le baiser, David grogna et y mit un terme.

— Attention, dit-il, ou bien je vais devoir m'arrêter sur le bas-côté.

— Voilà qui ne me déplairait pas, commenta Victoria.

— Ne me tente pas ! J'ai l'intention de te ramener à la maison où je pourrai te faire l'amour dans un lit, car je détesterais avouer à notre fils qu'il a été conçu à l'arrière d'une voiture.

Victoria sourit, moqueuse.

— Notre *fils* ?
David émit un léger rire.
— Ou notre fille.
Il lui pressa la main.
— Je n'aurais jamais rêvé avoir assez de chance pour t'épouser et devenir en plus le père de tes enfants.
— C'est moi qui ai de la chance, murmura-t-elle.
Radieuse, elle se blottit contre son mari.
Enfin, leur vie à deux allait pouvoir commencer !

Collection Passion

DÉCOUVREZ
EN AVANT-PREMIÈRE,
UN EXTRAIT
DU DERNIER VOLUME

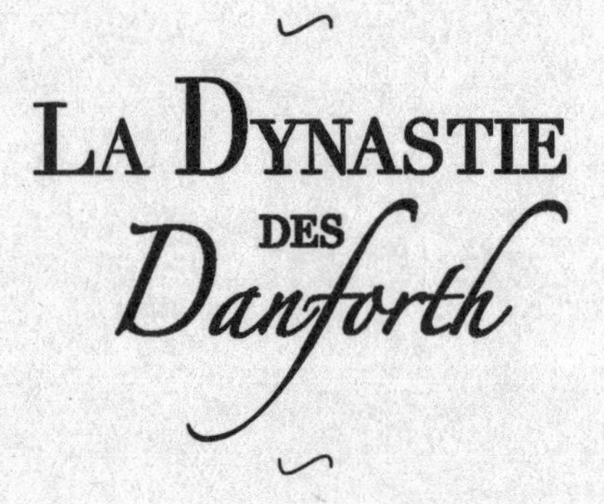

LE SERMENT DU BONHEUR
de Leanne Banks

À paraître le 1er décembre
dans la **Collection** *Passion*

Extrait de : *Le serment du bonheur*
de Leanne Banks

— Nicky, je suis sérieux, je te veux à Washington avec moi. Je suis prêt à tout pour te convaincre de me suivre.

La détermination peinte sur le visage viril d'Abraham emplit Nicola Granville d'appréhension. Quand le sénateur Danforth avait quelque chose en tête, il atteignait toujours son but, elle l'avait constaté à maintes reprises !

Elle devait lui opposer un refus sans appel. Immédiatement. A sa grande surprise, les mots ne lui vinrent pas. Elle soupira. Six semaines. Elle devait tenir six semaines. Ensuite, une fois Abraham parti vivre à Washington, elle s'installerait sur la côte Ouest et elle n'aurait plus à devoir résister à son charme… irrésistible !

— Ce serait bête de nous séparer alors que nous formons une équipe parfaite, tous les deux, insista-t-il.

Il avait raison. C'était justement parce qu'ils formaient une si bonne équipe qu'elle souffrait tant à l'idée de le quitter. Mais il le fallait. Pourtant, chaque fois qu'il la prenait dans ses bras, elle avait un mal fou à se rappeler pourquoi elle devait maintenir leurs relations sur un plan strictement professionnel et se contenter d'être son efficace et pragmatique directrice de campagne.

— Abe, ce ne serait pas raisonnable, protesta-t-elle d'une voix tremblante.

Rassemblant toute sa volonté, elle recula de quelques pas, mais elle se retrouva le dos contre la porte du bureau. Comme s'il n'attendait que cela, Abraham franchit alors la courte distance qui les séparait et se pencha vers elle pour l'embrasser. Elle contint un gémissement à mi-chemin entre le désespoir et le désir. Déjà, son corps se tendait vers la chaleur envoûtante d'Abraham, son cœur s'affolait en sentant son odeur virile l'envelopper mieux qu'un vêtement. A cinquante-cinq ans, il avait un corps et une musculature qui suscitaient l'admiration de toutes les femmes, elle ne le savait que trop bien !

— Nous ne sommes plus en campagne, lui rappela Abraham en l'enlaçant étroitement. J'ai été élu sénateur de Géorgie. Plus rien ne nous empêche d'être amants.

Nicola voyait au contraire une bonne demi-douzaine d'obstacles à une relation intime entre eux, notamment un souvenir qui hantait sa mémoire chaque jour depuis plus de vingt ans. Si par malheur Abraham venait à découvrir son passé honteux, il se détournerait aussitôt d'elle, plus choqué qu'il ne voudrait l'admettre.

Ignorant la chaleur qui se répandait dans ses veines, Nicola fit appel à sa conscience professionnelle chancelante.

— Cela ne serait pas bon pour ton image d'entretenir une liaison avec ta directrice de campagne, déclara-t-elle d'un ton sentencieux. Fais-moi confiance, je sais de quoi je parle.

Le regard réprobateur, elle ajouta :

— Après tout le mal que nous nous sommes donnés pour convaincre les électeurs de voter pour toi, tu devrais le savoir, toi aussi.

— Ce que je sais surtout, c'est que tu as un talent fou et que tu as su tourner à mon avantage tous les scandales potentiels qui auraient pu ruiner ma carrière.

Abraham ouvrit grand sa main et se mit à compter sur ses doigts :

— Grâce à toi, j'ai gardé la sympathie du public quand on a trouvé le corps de la fille de ma gouvernante dans le grenier de Crofthaven Manor ; quand la presse a révélé que j'avais eu une fille illégitime au Viêt-nam ; et même quand mon fils Marcus a été soupçonné par le FBI de se livrer à des activités criminelles. Sans oublier l'attendrissement que tu es parvenue à susciter parmi les journalistes le jour où tout le monde a appris par les journaux que mon neveu Jacob était père d'un enfant dont il ignorait jusque-là l'existence...

Nicola le bâillonna de la main pour l'empêcher de continuer et rétorqua :

— Certes, nous avons eu à faire face à des situations qui auraient pu te faire dégringoler dans les sondages, mais mon travail a été grandement facilité par ta personnalité. Tu es le rêve de tout directeur de campagne, Abraham. Tu es foncièrement intègre et franc, et tu as un charisme exceptionnel. C'est grâce à ces qualités que tu as remporté les élections.

— Peut-être.

Abe haussa les épaules. En cet instant précis, les raisons de sa victoire lui importaient peu.

— Quoi qu'il en soit, nous formons une équipe formidable.

Des étincelles de désir crépitèrent sur la peau de Nicola alors qu'il l'enveloppait d'un regard intense.

Le regarder était comme fixer le soleil trop longtemps, songea-t-elle. Si elle n'était pas prudente, elle allait devenir aveugle... à la réalité.

Dans un dernier sursaut de raison, elle détourna les yeux.

— Je te l'ai déjà dit, je ne te suivrai pas à Washington.

— Mais tu as promis de travailler avec moi jusqu'à mon départ, lui rappela Abraham en repoussant en arrière une mèche cuivrée qui tombait sur son front.

La tendresse contenue dans son geste bouleversa Nicola.

— C'est vrai, admit-elle.

— Tant mieux ! Je vais donc avoir le temps de te faire changer d'avis...

— N'y compte pas ! Je ne changerai pas d'avis.

— Cela tombe bien ! J'adore les défis, ma belle...

Abraham resserra son bras autour de sa taille et la plaqua contre lui. Aussitôt, elle se remémora leur dernière étreinte, les instants excitants qu'ils avaient partagés. Un frisson de désir la parcourut, son pouls s'accéléra dangereusement.

— Nous étions d'accord pour garder nos distances, protesta-t-elle en tentant de le repousser. Nous avons admis tous les deux que c'était une erreur de...

Les joues en feu, elle baissa les yeux.

— ... nous rapprocher.

Abe la dévisagea longuement.

— Tu as des regrets ?

— Abe, soupira-t-elle avec lassitude, nous avons déjà eu cette discussion. Je ne veux pas que tout ce que nous avons si laborieusement accompli soit anéanti parce que... parce que...

— Parce que je suis beaucoup plus vieux que toi ?

Elle leva les yeux au ciel.

— Ce n'est pas ce que je voulais dire et tu le sais.

— A quoi bon le nier ? J'ai presque vingt ans de plus...

— On ne le dirait pas, murmura-t-elle, admirative.

Elle s'émerveillait à chaque seconde de son dynamisme et de sa force, en public et en privé... S'apercevant que ses pensées s'égaraient en terrain dangereux, elle secoua la tête.

— Ne change pas de sujet. Même si tu as été élu, mon travail consiste toujours à soigner ton image. Une liaison avec moi serait une catastrophe, sous bien des aspects.

— Je suis loin d'en être convaincu, lui chuchota Abraham au creux de l'oreille en lui caressant la joue.

Avec une lenteur déchirante, il suivit d'un doigt l'encolure de son chemisier, dériva sur sa peau satinée.

En voyant la passion qui faisait briller ses yeux bleus, Nicola contint un gémissement de désespoir. Abraham lui faisait éprouver des sensations et des émotions si intenses, qu'elle se sentait de nouveau sur le point de perdre la tête.

— Tu n'aimes pas mes baisers ?

Abraham effleura sa bouche en un va-et-vient tentateur qui lui donna le vertige.

— Tu emploies des méthodes déloyales..., gémit-elle.

— Tu n'aimes pas faire l'amour avec moi ? chuchota-t-il contre ses lèvres en s'attaquant au bouton de sa jupe.

« C'est le moment de dire non ! » ordonna une voix lointaine dans la tête de la jeune femme.

Le crissement de la fermeture Eclair de sa jupe lui confirma qu'elle devait absolument se reprendre et s'écarter de cet homme si séduisant.

— J'ai envie de toi, dit Abe d'une voix rauque qui agit sur elle comme la plus audacieuse des caresses. Je te veux. Maintenant.

Se maudissant mentalement pour sa faiblesse, elle l'embrassa et mit dans ce baiser toute l'intensité de son désir.

« Encore une fois. Juste une », se jura-t-elle.

Le nouveau visage de la collection Or

AMOURS D'AUJOURD'HUI

Afin de mieux exprimer sa modernité et de vous séduire encore davantage, votre collection Or a changé de couverture et de nom depuis le 1er mars 1995.

Rassurez-vous, les romans, eux, ne changent pas, et vous pourrez retrouver dans la collection **Amours d'Aujourd'hui** tous vos auteurs préférés.

Comme chaque mois, en effet, vous y attendent des héros d'aujourd'hui, aux prises avec des passions fortes et des situations difficiles...

COLLECTION
AMOURS D'AUJOURD'HUI :
Quand l'amour guérit des blessures de la vie...

Chère lectrice,

Vous nous êtes fidèle depuis longtemps?
Vous venez de faire notre connaissance?

C'est pour votre plaisir que nous avons imaginé un rendez-vous chaque mois avec vos auteurs préférés, vos AUTEURS VEDETTE dans les collections Azur et Horizon.

Les AUTEURS VEDETTE vous donneront rendez-vous pour de nouveaux livres vedette.

Pour les reconnaître, cherchez l'étoile... Elle vous guidera!

Éditions Harlequin

LE FORUM DES LECTEURS ET LECTRICES

CHERS(ES) LECTEURS ET LECTRICES,

VOUS NOUS ETES FIDÈLES DEPUIS LONGTEMPS?

VOUS VENEZ DE FAIRE NOTRE CONNAISSANCE?

SI VOUS AVEZ DES COMMENTAIRES, DES CRITIQUES À FORMULER, DES SUGGESTIONS À OFFRIR, N'HÉSITEZ PAS... ÉCRIVEZ-NOUS À:

LES ENTERPRISES HARLEQUIN LTÉE.
498 RUE ODILE
FABREVILLE, LAVAL, QUÉBEC.
H7R 5X1

C'EST AVEC VOS PRÉCIEUX COMMENTAIRES QUE NOUS ALLONS POUVOIR MIEUX VOUS SERVIR.

DE PLUS, SI VOUS DÉSIREZ RECEVOIR UNE OU PLUSIEURS DE VOS SÉRIES HARLEQUIN PRÉFÉRÉE(S) À VOTRE DOMICILE, NE TARDEZ PAS À CONTACTER LE SERVICE D'ABONNEMENT; EN APPELANT AU (514) 875-4444 (RÉGION DE MONTRÉAL) OU 1-800-667-4444 (EXTÉRIEUR DE MONTRÉAL) OU TÉLÉCOPIEUR (514) 523-4444 OU COURRIER ELECTRONIQUE: AQCOURRIER@ABONNEMENT.QC.CA OU EN ÉCRIVANT À:

ABONNEMENT QUÉBEC
525 RUE LOUIS-PASTEUR
BOUCHERVILLE, QUÉBEC
J4B 8E7

MERCI, À L'AVANCE, DE VOTRE COOPÉRATION.

BONNE LECTURE.

HARLEQUIN.

VOTRE PASSEPORT POUR LE MONDE DE L'AMOUR.

COLLECTION HORIZON

Des histoires d'amour romantiques qui vous mènent au bout du monde!

Découvrez la passion et les vives émotions qu'apportent à la Collection Horizon des auteurs de renommée internationale!

Captivantes, voire irrésistibles, ces histoires d'amour vous iront assurément droit au coeur.

Surveillez nos trois nouveaux titres chaque mois!

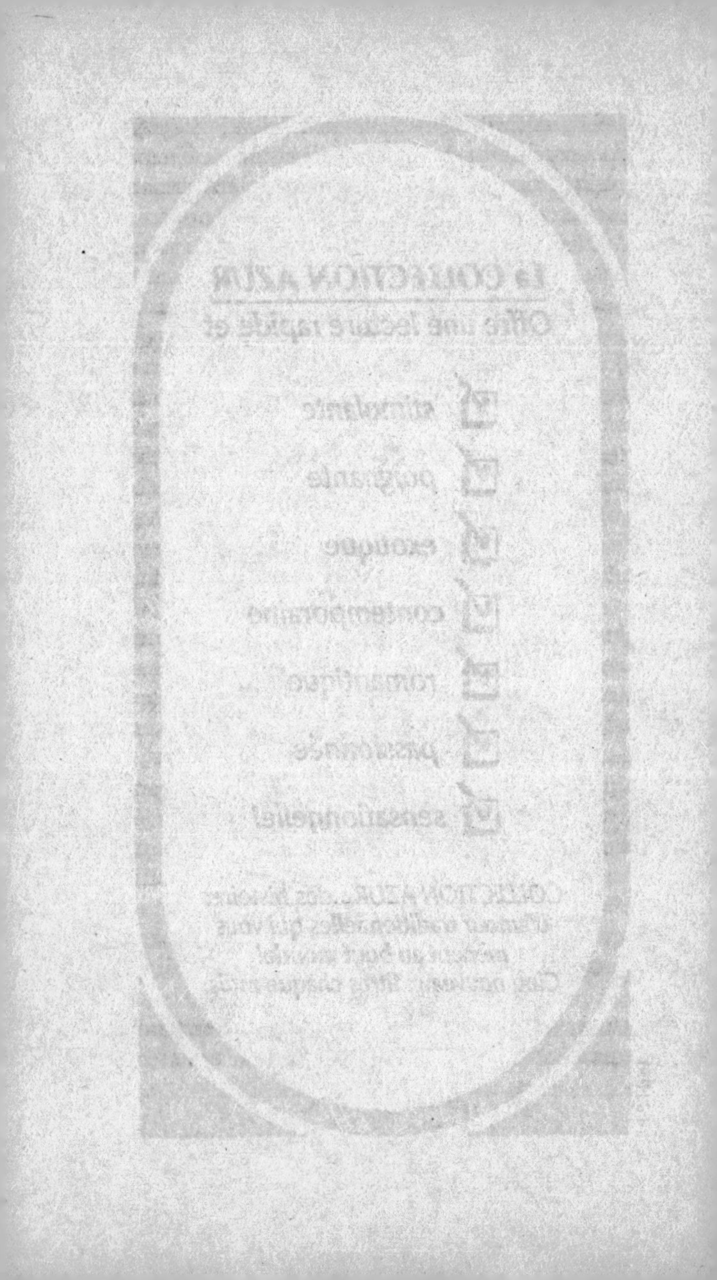

Composé et édité par les
éditions Harlequin
Achevé d'imprimer en octobre 2005

BUSSIÈRE
GROUPE CPI

à Saint-Amand-Montrond (Cher)
Dépôt légal : novembre 2005
N° d'imprimeur : 52336 — N° d'éditeur : 11657

Imprimé en France

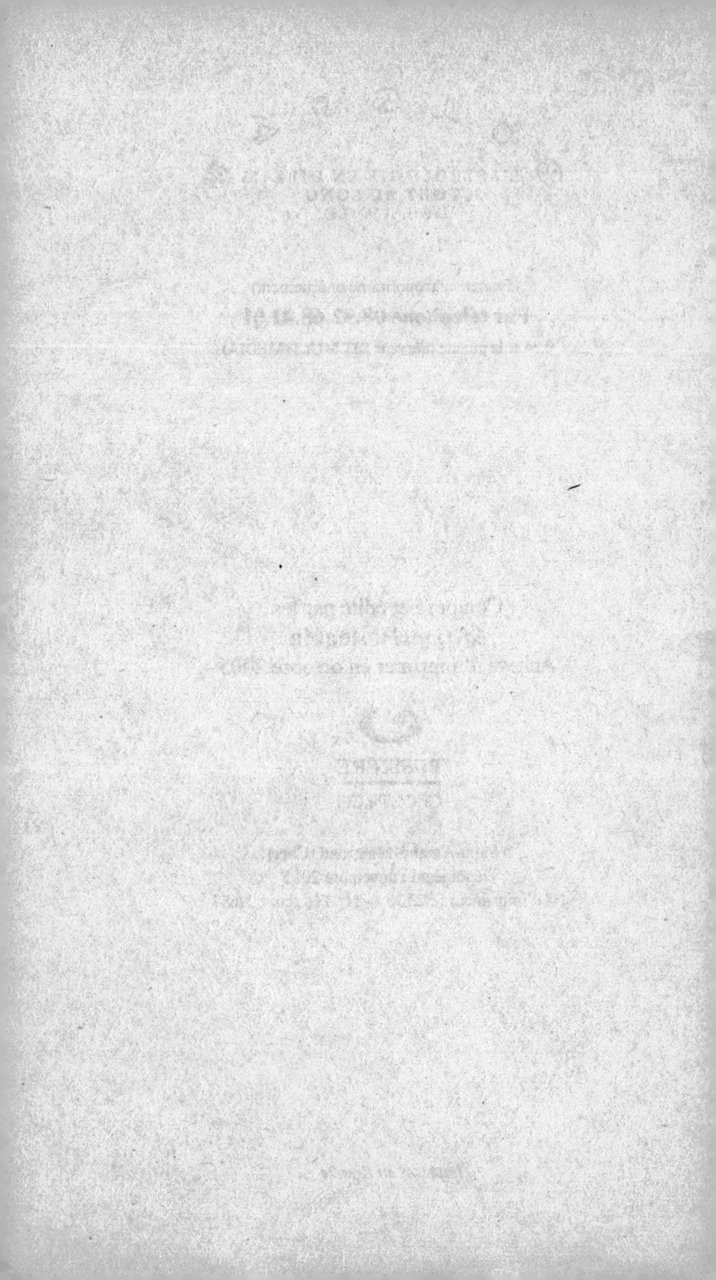